Kristien Hemmerechts (1955) groeide op in
Brussel. Na een studie Germaanse Filologie
promoveerde zij in 1986 op een proefschrift over
de Engelse schrijfster Jean Rhys. Zij is auteur van
een aantal Engelse verhalen, waarvan er drie zijn
opgenomen in *First Fictions, Introduction 9*
(Faber and Faber, 1986). In het Nederlands
debuteerde zij met de roman *Een zuil van zout*
(Rainbow Pocketboek 102) waarvoor zij de Prijs
van de Provincie Brabant ontving. Na de
verhalenbundels *Weerberichten* (1988) en
's Nachts (1989) verschenen de romans *Brede
Heupen* (1989) en *Zonder grenzen* (1991). In
1990 is Kristien Hemmerechts bekroond met de
Driejaarlijkse Staatsprijs voor Proza.
Zegt zij, zegt hij bevat de mooiste verhalen uit de
bundels *Weerberichten* en *'s Nachts*.

Kristien Hemmerechts

Zegt zij, zegt hij

Rainbow Pocketboeken

Rainbow Pocketboeken® worden uitgegeven door
Uitgeverij Maarten Muntinga bv, Amsterdam

Uitgave in samenwerking met
Uitgeverij Houtekiet, Antwerpen

Copyright © 1988, 1989, Kristien Hemmerechts
Illustratie voorzijde omslag: Lieve Ulburghs
Fotografie: Ludo Geysels
Foto achterzijde omslag: Ludo Geysels
Grafische vormgeving: Marjo Starink / Studio Cursief
Zetwerk: Stand By, Nieuwegein
Druk: Ebner Ulm
Uitgave in Rainbow Pocketboeken februari 1992
Vierde druk augustus 1994
Alle rechten voorbehouden

ISBN 90 6766 117 1 CIP NUGI 300

Inhoud

De verhalen *De zesde van de zesde van het jaar negentien zesenzes-tig* en *Woorden* werden oorspronkelijk in het Engels geschreven en zijn vertaald door Geert van Istendael.

1 *Kip*

Mijn moeder zei altijd, 'Trouw nooit met een boer.'

'Stefaan is geen boer,' zeg ik.

'Boer of zoon van een boer, dat maakt weinig uit.'

'Stefaan is geen zoon van een boer. Hij is de zoon van een boerin.'

'Boerenzoon of geen boerenzoon. Ooit is er een vader aan te pas gekomen. Alle sterfelijke wezens hebben vaders. Ook boerenzonen.'

'Stefaan praat nooit over zijn vader.'

'Heeft de jongen een moederbinding?'

'Ik geloof dat hij gewoon niet weet wie zijn vader is.'

'Waarom vraag je het hem niet? Waarom zeg je niet: "Stefaan, luister eens, nu we gaan trouwen en jouw ouders mijn schoonouders worden, had ik graag van jou vernomen wie jouw vader is".'

'Waarom vraag jij het hem niet?'

'Zover reikt mijn bevoegdheid niet. Ik wens je alleen op je verantwoordelijkheid te wijzen.'

'Mijn verantwoordelijkheid?'

'Tegenover je toekomstige kinderen. Jouw schoonvader – Stefaans vader – wordt hun grootvader.'

'Daar had ik niet bij stilgestaan.'

'Nog een geluk dat je een moeder hebt. En Karen, ik zou heus twee keer nadenken voor ik met iemand trouw die een moederbinding heeft.'

Toen Stefaan me aan zijn moeder voorstelde, zei ze: 'Wat heb je brede heupen. Al mijn zonen trouwen met vrouwen met brede heupen.'

'Mijn moeder praat graag of ze tien zonen heeft,' zegt Stefaan.

'Mijn zoon is gegeneerd in zijn oude moeder.'

'U bent in uzelf gegeneerd, moeder.'

'Voor wie of wat zou ik me generen, jongen?'

'Mijn moeder,' zegt Stefaan, 'heeft twee zonen.'

'En twee kleinzonen.'

'En honderd drieëntwintig koeien.'

'Maar geen varkens.'

'En ook geen hond.'

'Geen kat.'

'Geen kip.'

'Ik heb een zus,' zeg ik.

'Ja,' zegt Stefaans moeder. 'Jij ziet eruit als iemand die een zus heeft. Zullen we koffie drinken?'

'Liever niet, moeder.'

'De etiquette vereist dat ik je verloofde een kopje koffie aanbied. Of drinkt je verloofde geen koffie? Ik kan haar ook thee offreren.'

'Graag een kopje thee,' zeg ik.

'Fijn. Dan kan Karen meteen het portret van je vader zien.'

'Moeder alsjeblieft.'

'Hij wordt toch haar schoonvader.'

'Dat portret in de salon hangt er voor buitenstaanders. Karen is geen buitenstaander.'

'Neen. Karen wordt mijn schoondochter.'

'Ik wist niet dat Stefaans vader overleden was,' zeg ik.

'Heb ik de indruk gegeven dat Stefaans vader dood is? Dan heb ik me slordig uitgedrukt.'

'Mijn moeder wou je een portret tonen, Karen. Meer niet.'

'Een portret dat al jaren dienst doet.'

'Een geflatteerd portret. Kom, Karen, we gaan.'

'Blijf nog even, zoon. Jouw verloofde had graag een kopje thee gehad. We zullen hier in de woonkamer thee drinken. De salon bezoeken we een andere keer. Ben jij al bij Karens ouders op visite geweest?'

'Bij Karens moeder. Haar vader is overleden.'

'Wat jammer. Jouw moeder is dus een weduwe, Karen.'

'Karens moeder werkt in een bank.'

'Dat komt mooi uit: schoonmoeder en schoonzoon die in dezelfde sector zijn tewerkgesteld. Jullie hebben vast gespreksstof te over. En jij, Karen, wat doe jij voor de kost?'

'Karen doet het huishouden, moeder.'

'Het zal een zwaar verlies zijn voor je moeder, Karen, wanneer je bij Stefaan intrekt om voor hem het huishouden te gaan doen. Woont je zus nog thuis?'

'Neen, mijn zus is getrouwd. Mijn zus heeft twee dochtertjes.'

'Zal ik thee zetten, moeder?'

'Neen jongen, dat doe ik. Hou jij zolang je verloofde gezelschap. Ik ben zo terug.'

Stefaans moeder verdwijnt in de keuken en Stefaan gaat met zijn rug naar mij voor het raam staan.

'Let maar niet te veel op mijn moeder,' zegt hij. 'Ze heeft zo haar excentrieke momenten.'

Een minuut of tien later komt Stefaans moeder de kamer binnen met een porseleinen dienblad.

'Melk uit dozen?' vraag ik.

'Ja natuurlijk,' zegt ze.

'En de honderd drieëntwintig koeien dan?'

'Heeft niemand je ooit geleerd dat melk vers van de koe een ramp is voor je darmen? Richt een ware ravage aan. Trouwens, alles gebeurt hier machinaal. Je zal mij

9

niet zien lopen zeulen met emmers en kannen. Recht van de koe via leidingen naar de melkerij. Er kleeft geen druppel melk aan mijn vingers.'

'Mijn moeder is geen boerin, Karen. Mijn moeder is een bedrijfsleidster.'

'Ik hoor het je graag zeggen, zoon.'

'Er staan hier geen stallen maar loodsen.'

'Ik geloof dat mijn zoon een tikkeltje jaloers is op zijn moeder. Dat gebeurt wel vaker wanneer boeren-zonen op kantoorkrukken terechtkomen.'

'Ik ben geen boerenzoon, moeder, ik ben de zoon van een bedrijfsleidster,' zegt Stefaan, en lacht.

'Zoon, ik ben trots op je.'

'Moeder, ik had me geen betere moeder kunnen dromen.'

'Zorg goed voor je verloofde. Beloof me dat je haar gelukkig maakt. En vergeet niet: ze is van de stad.'

'Ik ben nu ook van de stad, moeder. Ik slijt mijn broek op een kantoorkruk.'

'En,' vraagt mijn moeder wanneer ze thuiskomt van haar werk, 'zijn het nette mensen?'

'Dat valt best mee,' zeg ik en ga in de keuken haar eten opwarmen.

Op het trouwfeest danst Stefaan eerst met mij, daarna met mijn moeder en daarna met de zijne. Zijn broer danst eerst met zijn moeder en daarna met de mijne.

'Ik heet Sven,' zegt het oudste zoontje van mijn schoonbroer. 'Neef Sven.'

'Ik ben Karen. Tante Karen. Maar je mag gewoon Karen zeggen.'

'Neen,' zegt Sven, 'ik heb nog nooit eerder een tante gehad. Ik noem jou tante Karen.'

'Ik heb nog nooit eerder een neefje gehad. Ik heb

alleen maar nichtjes. Ik zal jou neef Sven noemen.'

'Nu u mijn tante bent kan ik bij u komen logeren.'

'Natuurlijk kan je dat, neef Sven.'

Nadat Sven is komen logeren, vraag ik aan Stefaan of hij graag een huisdier zou houden.

'Sven heeft drie guinese biggetjes thuis,' zeg ik.

'Mijn moeder heeft honderd drieëntwintig koeien,' zegt hij.

'Koeien zijn geen huisdieren.'

'Dat klopt. Luister, Karen, huisdieren zeggen mij niets, dieren in het algemeen laten me koud. Maar als jij de lokroep van de natuur niet kunt weerstaan, alsjeblieft, geneer je niet voor mij. Begrijp me niet verkeerd. Ik zou geen vlieg kwaad doen. De vier-, drie- of tweevoeters die jij in huis haalt zal ik met het nodige respect bejegenen.'

'Bereid je dan maar voor op de komst van een kip. Want ik denk dat het een kip zal worden.'

'Prima,' zegt hij. 'Ik verheug me nu al op een zachtgekookt scharreleitje bij het ontbijt, hoewel een omelet ook niet te versmaden is.'

's Anderendaags koop ik op de markt een kip en span voor haar in de tuin met gaas een ren af. Ik timmer een hok en verf het geel. Ik sla vier palen in de grond en spijker het hok erop vast. Ik zaag een deurtje en bouw een loopbrug om de ingang met de begane grond te verbinden. Op het dak van het hok schilder ik met blauwe verf een k, een i en dan een p. De kip zit het liefst tussen de vier palen onder het hok en wanneer ik haar op de loopplank zet, pikt ze naar mijn hand. Ik blijf haar aanporren tot ze de loopplank optrippelt en in het hok verdwijnt. Ze steekt haar kop naar buiten en pikt naar de gele verf. Wanneer mijn hand door de opening van haar hok gaat en in het duister tast, wordt hij meteen gepikt. Ik druk op het vlees rond de schrammen opdat het vlees zou bloeden, ontsmet ze zorgvuldig en wikkel mijn hand in gaasverband. Maar een handschoen wil ik niet dragen. Mijn hand voelt te graag het warme lijf van de kip, haar zachte veren, de snauw van haar bek.

'Die kip bezorgt je nog tetanos,' zegt Stefaan, 'en van tetanos ga je dood.'

Op een ochtend glijdt mijn hand het duister van het hok binnen, wringt zich onder het lijf van de kip en sluit zich rond een ei. Terwijl ik mijn buit naar buiten manoeuvreer, pikt de kip driftig mijn hand. Mijn vingers spannen op en ik voel hoe de eierschaal onder de druk meegeeft. Het ei met de gebarsten schelp dat ik in het daglicht inspecteer, is hol. Bovenaan zit een gaatje en binnenin is het leeg. Ik draag het ei in mijn bloedende hand naar binnen en leg het op tafel terwijl ik mijn hand ontsmet en verbind.

'Opengepikt en leeggezogen,' zegt Stefaan.

'Door wie?'

'Door de kip.'

'Waarom doet ze dat?'

'Jouw kip is een gefrustreerde kip. Jouw kip heeft nood aan gezelschap. Aan een haan of aan een zuster-kip.'

Om de andere dag haalt mijn gekwetste hand een hol ei uit het duister van het hok te voorschijn. De schaal is broos en barst bij de minste druk van mijn vingers. In de bibliotheek lees ik dat kippen die hun eieren leegzuigen meteen geslacht moeten worden. 'Eenmaal dat ze de smaak ervan beet hebben, helpt er geen lievemoederen aan. Het gevaar is niet ireëel dat de andere kippen in de ren het voorbeeld gaan volgen.'

'Misschien zou de kip beter aarden bij je moeder,' opper ik. 'Het is er hoe dan ook een rurale omgeving.'

'Wat moet die kip tussen honderd drieëntwintig koeien. Laat die kip betijen. We hebben die eieren toch niet nodig. Eieren zijn trouwens niet eens echt gezond. Misschien gunt die kip jou haar eieren niet. Misschien moet je ophouden met iedere dag onder haar lijf te potelen. Waarom denk je pikt die kip zo driftig? Onder dat verband is jouw hand aan het verzweren.'

'Mijn hand is helemaal niet aan het verzweren. Wondjes en schrammetjes hoeven niet per se te etteren. Ze bloeden enkel. Dat die kip haar eieren leegzuigt heeft niets met mijn hand te maken. Dat ze in mijn hand pikt is de natuurlijkste zaak ter wereld. Kippen pikken naar alles wat in hun buurt komt. Maar kippen pikken niet naar wat uit hun eigen lijf komt. Wat die kip doet, is tegennatuurlijk. Indien haar eieren bevrucht waren, dan slobberde ze in feite haar eigen jongen naar binnen. Die kip is een gedegenereerde kip.'

'Punt is dat haar eieren niet bevrucht zijn.'

'En ook dat is tegennatuurlijk.'

'Mijn liefste Karen, zoveel dingen zijn tegennatuurlijk. Dat jij de pil slikt, om maar een voorbeeld te geven, is ook tegennatuurlijk. Ben jij daarom een ontaarde vrouw?'

'Wie heeft er gezegd dat ik de pil neem? Wat contraceptie betreft ben ik de natuurlijkste vrouw ter wereld. Jouw sperma heeft al die maanden in uitgelezen natuurlijke omstandigheden zijn gang kunnen gaan.'

Na de eerste keer met Stefaan was ik ervan overtuigd zwanger te zijn. Ik ging naakt voor de spiegelkast staan in de kamer van mijn moeder en zei hardop: 'Stefaan heeft een kind in mij verwekt.' Ik voelde stuwing in mijn borsten, spanning in mijn buik. Ik dacht: 'Het zal een zoon zijn. Ik zal hem baren in het veld en we zullen hem Jonas noemen.' De hele dag bracht ik door op de kamer van mijn moeder. Ik rustte op haar bed of ging voor de spiegel staan en bestudeerde mijn lichaam. In de namiddag sluimerde ik in en toen ik wakker werd kleefde er bloed aan mijn dijen.

De avond voordien waren Stefaan en ik tot aan de rand van het bos gereden. Hij zou me het kamp tonen dat hij en zijn broer als kinderen hadden gebouwd. 'Niemand is hier ooit geweest behalve mijn broer en ikzelf. Zelfs mijn moeder niet,' zei hij. Ik volgde hem door varens en struikgewas en kon niet uitmaken of we al dan niet een pad bewandelden. Af en toe stond hij stil en hield een tak opzij of waarschuwde voor netels. De duisternis viel snel en weldra kon ik Stefaan nauwelijks ontwaren. Ik richtte me naar zijn stap, zette mijn voet neer waar ik een seconde eerder takjes en aarde onder zijn schoen had horen kraken. Wanneer hij stilstond botste ik tegen hem aan, eerst met mijn neus, dan met mijn voorhoofd. Ik dacht: 'Ik zou mijn handen uit mijn zakken moeten nemen om de val te breken' maar groef ze nog dieper in mijn zakken. Mijn neus en voorhoofd botsten tegen zijn rug, en ik vlijde mijn wang tegen zijn hemd. Zijn lichaam zette zich weer in beweging en ik viel haast om. Ik dacht: 'Als ik struikel in dit bos, als ik val en blijf liggen, dan moeten die passen rechtsomkeert maken, dan moet dat pezige lijf met die harde rug me komen zoeken, op handen en voeten de bosgrond aftasten, armen moeten zich om me heen slaan en me overeind trekken. Ik zal me niet laten overeind trekken, ik zal zachtjes kreunen en hem verhinderen zich op te richten. Ik zal pas rust kennen wanneer zijn lichaam het mijne toedekt.' Ik botste tegen een hard voorwerp en liet mijn wang ertegen rusten.

'We zijn er bijna,' fluisterde Stefaan.

Ik vroeg me af of het mogelijk was staande te slapen. Ik trok mijn ene been in en stond roerloos als een flamingo op een stelt. Stefaan zette zich in beweging en ik viel om. Toen hij opnieuw stilstond, hield hij een zaklamp in zijn hand.

'Zodra ik die aanknip, wordt het bos erg donker,' zei hij. Ik stapte van achter zijn rug vandaan en ging naast hem staan. Ik duwde mijn handen diep in mijn zakken, neigde mijn hoofd naar links maar raakte zijn schouder net niet. Onze ademhaling was als de golfslag van de zee, als een trein ergens ver in de nacht. Stefaan richtte zijn hand waarin de zaklamp lag, verschoof de knip en bescheen een bundel takken. Nadat we een tijdje naar de takken in het lichtvlak gekeken hadden, stapte Stefaan erop af, bukte zich en hief ze allemaal tegelijk op. De takken bleken vastgespijkerd te zijn op planken die de toegang tot het kamp afschermden en camoufleerden. Onder het dak school een diepe kuil waarin Stefaan de lichtbundel richtte. Hij vroeg me de zaklamp vast te houden terwijl hij afdaalde langs de touwladder die tegen de wand was bevestigd. Ik wierp hem de zaklamp toe en daalde op mijn beurt af. We stonden aan de voet van een matras waarop dekens en kussens lagen. Ik legde mijn wang tegen Stefaans borst en voelde hoe zijn borstkas zich uitzette en slonk.

'Je rilt,' zei hij en begon knoopjes en ritsen los te maken.

'Ik ril niet,' klappertandde ik en we kropen onder de dekens en de kussens. Toen ik mijn ogen opende zag ik een groot zwart gat boven me. Ik sloeg mijn ene been over Stefaan en dekte hem toe met mijn lichaam.

'Wat doe je?' vroeg Stefaan, maar ik zei hem dat hij zich moest ontspannen. 'Jij moet alleen maar rustig blijven liggen en je ogen sluiten. Ik zorg wel voor de rest.'

's Anderendaags stond ik naakt voor de spiegel van mijn moeder en dacht: 'Ik zal hem baren beneden in de kuil. Ik zal de navelstreng met mijn tanden doorbijten en de baby schoon likken met mijn tong. De placenta zal ik begraven in het bos en met varens zal ik een bed voor hem vlechten. Ik zal hem Jonas noemen en hij zal zich voeden met melk uit mijn borst. Maar enkele uren later begon ik te bloeden en legde schone lakens op het bed van mijn moeder.

Die zomer reden Stefaan en ik dagelijks naar de rand van het bos. Weldra kon ik alleen de weg vinden naar de kuil. Vaak ging ik nu voor en was het Stefaan die met zijn neus tegen mijn rug botste wanneer ik onverhoeds stil bleef staan. Wie eerst afdaalde mocht met zijn lichaam de ander toedekken, maar Stefaan had nooit haast. De zaklamp waren we allang verloren. Op heldere, droge nachten bleven we slapen in de kuil en sloop ik 's morgens het huis binnen om mijn moeders ontbijt klaar te maken. Mijn moeder merkte op dat er de jongste tijd veel aarde onder mijn nagels zat en aan mijn schoenen kleefde, maar vroeg me nooit waar ik geweest was. Overdag reed ik achter op de bromfiets van mijn vriendin over kasseien en lag uren in een heet bad. Ik mengde gin in het badwater en legde kruiden op mijn buik. Andere voorzorgen nam ik niet. Vaak stond ik naakt voor de spiegelkast van mijn moeder en keek naar mijn buik waarin zich misschien een foetus nestelde. Iedere maand wanneer het bloed tussen mijn dijen stroomde, was het of ik mijn kind begroef. Of ik een foetus uit mijn lichaam verdreef. Ik lag in het bed van mijn moeder. Mijn lichaam was leeg.

In de herfst begon het te regenen en Stefaan kwam me niet langer ophalen. Ik leende de bromfiets van mijn vriendin en reed tot de rand van het bos maar had niet de moed om alleen het bos binnen te dringen. De zondag voor Kerstmis belde Stefaan aan. Hij had een ruiker witte rozen bij zich. Buiten sneeuwde het en ik vond dat hij een vreemd tijdstip gekozen had om naar de kuil te gaan.

'Maar ik wil niet naar de kuil,' zei Stefaan, 'ik wil met je trouwen. Ik kom je vragen of je met me wilt trouwen.'

Mijn moeder die in de woonkamer de kerstboom aan het versieren was, nam de bloemen van hem aan. Stefaan herhaalde tegen haar wat hij mij in de gang had gezegd en mijn moeder zei dat ze iets in die zin had verwacht. Er werd afgesproken dat Stefaan en ik op Paaszaterdag zouden trouwen, en toen Stefaan het huis verliet omhelsde hij mijn moeder.

'Een aardige jongen,' zei ze. 'Jammer dat hij de zoon van een boer is.'

'Stefaan is geen zoon van een boer,' zei ik, en ging naar mijn kamer.

Iedere zondagmiddag en soms ook zaterdagmiddag kwam Stefaan op visite. We dronken koffie in de salon en Stefaan en mijn moeder praatten over hun werk. Het bleek dat ze met gelijkaardige probleempjes te kampen hadden. Vaak reden we naar de stad en gingen naar de bioscoop. Achteraf ging hij nooit mee naar binnen. Hij zoende me bij de voordeur en zei: 'Tot volgende week'. Ik dacht: 'De winter kan niet blijven duren. Straks wordt het lente en dan zomer, en als de nachten weer warm genoeg zijn. Dit kan niet blijven duren.'

In april trouwden we en sliepen voor het eerst samen tussen witte lakens. Stefaan bewoog zich boven op mij en ik dacht: 'Als ik mijn ogen open zie ik een wit plafond.' 's Anderendaags waren we bij Stefaans moeder uitgenodigd voor de paasmaaltijd en op Paasmaandag dronken we koffie bij mijn moeder. Dinsdag

ging Stefaan naar de bank. Ik stond vroeg op om zijn
ontbijt klaar te maken en bleef na zijn vertrek in de
keuken dralen. Mijn schoonmoeder had ons een paas-
ei gegeven gevuld met kleine eitjes, en ik stak ze één
voor één bedachtzaam in mijn mond.

'Hoelang,' vraagt de gynaecoloog, 'proberen u en uw
man al een kind te verwekken?'

'Ongeveer twee jaar. Met een onderbreking van enkele maanden.'

Hij stelt me vragen over de frequentie van onze betrekkingen, over het verloop van mijn cyclus, over de
hoeveelheid bloed die ik verlies en over de kleur ervan,
over kinderziekten, geboortegewicht en familiekwa-
len. Ik antwoord aarzelend, bang dat er gegevens in
het dossier terechtkomen die niet nauwkeurig zijn.

'Hoe regelmatig zijn de betrekkingen?' vraagt hij.

'Dat hangt ervan af,' zeg ik. 'Daar komen zoveel
factoren bij kijken.'

'Een gemiddelde,' dringt hij aan, maar ik blijf een
antwoord schuldig.

'Legt u zich maar op tafel, mevrouw, dan zal ik u
onderzoeken. Twee jaar is niet echt lang. Niet verontrustend lang. Ik had graag uw man eens gezien. U kunt
een afspraak maken bij de secretaresse.'

De secretaresse geeft me een doorschijnend plastic
potje mee om Stefaans sperma in op te vangen. 'Hoe
verser, hoe beter,' zegt ze. Op weg naar huis ga ik
langs bij mijn moeder.

'Je ziet er bleek uit,' zegt ze. 'Je zou beter een baan
zoeken in plaats van je op te sluiten in huis. Hoe is het
met de kip?'

'Prima,' zeg ik.

'Eet maar niet te veel eieren. Eieren zijn slecht voor
de lever.'

Thuis zet ik het potje op tafel en breng verslag uit.

'Twee jaar is niet echt lang. Niet verontrustend lang.'

We zitten aan tafel en kijken naar het potje. Wanneer we 's morgens opstaan staat het er nog steeds.

Stefaan wil niet dat ik erbij ben wanneer hij zich masturbeert.

'Wacht buiten in de wagen,' zegt hij. Wanneer hij instapt, reikt hij me het potje dat nu in een zakdoek is gewikkeld. Ik hou het tussen beide handen geklemd en kijk star voor me uit. De gynaecoloog neemt het pakje van me aan en verdwijnt ermee in een aanpalende ruimte. Wanneer hij terugkomt houdt hij een glazen plaatje tussen zijn duim en wijsvinger.

'Kijkt u zelf maar,' zegt hij en plaatst het plaatje in de microscoop die op zijn bureau staat.

'Cellen,' zegt Stefaan.

'Precies,' zegt de gynaecoloog.

'Mag ik eens?' vraag ik.

'Ga je gang,' zegt Stefaan.

'Net een foto,' zeg ik.

'Precies,' zegt de gynaecoloog. 'U hebt het probleem uiterst bondig samengevat. Net een foto.'

'Hoe bedoelt u?'

'Geen beweging. Net als op een foto. De zaadcellen – voor zover aanwezig – bewegen niet. Geringe concentratie gecombineerd met verwaarloosbare mobiliteit.'

'Hoe bedoelt u?'

'De dokter bedoelt, Karen, dat je met dat zaad geen kinderen kan verwekken. Met andere woorden, jij en ik hebben een fertiliteitsprobleem. Of juister: ik heb een fertiliteitsprobleem. Ik had net zo goed al die tijd water in je kunnen spuiten.'

Stefaan stapt naar buiten en laat de deur met een klap in het slot vallen.

'De reactie van uw man is normaal, mevrouw. Heel wat mensen verwarren fertiliteit met potentie of zelfs mannelijkheid. Over enkele dagen is hij over de ergste schok heen. Gun hem de tijd om het nieuws te verwerken. Ik had uw man wel graag nader onderzocht. Er wordt op dit ogenblik een behandeling ontwikkeld die weliswaar in een experimentele fase is maar die desalniettemin gunstige resultaten heeft opgeleverd. De conditie van uw man is ernstig maar toch lijkt een behandeling me het overwegen waard. Uiteraard mag ook u de moed niet laten zakken. Donorinseminatie biedt altijd een uitweg.'

'Ja natuurlijk,' zeg ik en sta op.

'U vergeet uw zakdoek, mevrouw.'

'Dank u,' zeg ik en stop hem in mijn tas.

Buiten wacht Stefaan in de wagen en we rijden samen naar huis. Ook nu kijk ik star voor me uit.

'Een geluk dat de kip er is,' zegt Stefaan. 'Wat zou jij anders met je moederinstinct aanvangen?'

'En wat gebeurt er met jouw vaderinstinct?'

'De kip zal een vader en een moeder hebben.'

'Denk je niet dat we een tweede kip zouden moeten houden?'

'Je bedoelt dat we aan gezinsuitbreiding moeten doen. Karen, morgen ga ik naar de markt en koop voor jou paarden en kippen en koeien en geiten. Ik, zoon van een bedrijfsleidster, zal van jou een boerin maken. Als ik van jou geen moeder kan maken, dan zal ik van jou een boerin maken.'

'Ik wil de kip hier niet meer. Ik wil dat ze weggaat. Met haar is het allemaal begonnen. Als zij haar eieren niet had leeggezogen, dan was er niets aan de hand geweest.'

'Wat ben jij toch bijgelovig, Karen. Wat was er

eerst, de kip of het ei? Laat de kip betijen.'

'Stefaan, waarom gaan we niet meer naar de kuil? Waarom zijn we nooit teruggegaan?'

'Denk je dat, Karen? Laat Stefaan me neuken in het bos, in de schoot van moeder aarde en het wonder zal geschieden. Je denkt dat jij moeder aarde zal zijn, en dat mijn zaad zal kiemen in de grond van je baarmoeder. Ons kind zal het gewas zijn en je zult hem baren in een veld. Jij had nooit met de zoon van een bedrijfsleidster mogen trouwen, Karen. Jij had met een boer moeten trouwen, een rasechte boer. Of beter nog, met een Neanderthaler die je bij je haren zou meeslepen en je zou nemen aan de rand van een moeras. Als een oermoeder zou je leven naar buiten persen. Zaad zou in je geplant worden en levende wezens zouden naar buiten worden gedreven. Generaties zouden uit je baarmoeder kruipen. Arme Karen die het moet stellen met een kip.'

'Bestaat de kuil nog?'

'Ik zou het niet weten. Ik ben er niet meer geweest sinds onze laatste keer. Ik betwijfel of mijn broer er komt. De wanden zullen wel ingestort zijn, het dak vernield. Karen, mijn moeder mag wel honderd drieëntwintig koeien hebben, ik ben een bankbediende. Ik vertrek iedere ochtend in een pak naar de bank en kom om halfzes thuis. Ik kan niet op de bank verschijnen met aarde onder mijn nagels, of stro in mijn haar. In laboratoria over de hele wereld wordt er hard gedokterd aan mijn probleem. Wat wil jij in een kuil gaan zoeken, wanneer er zoiets bestaat als invitrobevruchting en donorinseminatie? Het wonder zal heus niet geschieden wanneer ik paardemest aan mijn penis smeer.'

'Morgen breng ik de kip naar je moeder. Ik wil haar niet langer in huis.'

'Mijn moeder houdt niet van kippen, Karen. Laat die kip in godsnaam hier.'

Ik ben naar de gynaecoloog teruggegaan en heb hem verteld dat gezien de geringe kans op succes mijn man afziet van de behandeling. Ik heb hem gevraagd me het verloop van donorinseminatie uit te leggen. Een zuignap wordt op de baarmoederhals bevestigd met daaraan verbonden een buisje met het sperma, en een pompje om lucht toe te voeren en het luchtvacuüm onder de zuignap te doorbreken. In de vruchtbare periode van de cyclus wordt de behandeling dagelijks herhaald. Het strootje met sperma wordt bij voorkeur een uur of acht gedragen. Lijsten worden ingevuld met informatie over lichaamsbouw, pigmentatie, kleur, structuur, aanleg. Bloed en urine worden onderzocht, karaktertrekken worden beschreven. Gegevens over ouders, grootouders, broers en zusters worden genoteerd en door de computer verwerkt. Het sperma wordt zorgvuldig geselecteerd om maximale gelijkenis met de toekomstige vader van het kind te garanderen. Het verloop van de menstruatiecyclus moet in een curve genoteerd worden. Iedere dag moet de lichaamstemperatuur worden gemeten om de pieken van vruchtbaarheid af te bakenen.

'Acht uzelf gelukkig, mevrouw. Zoveel baby's worden geboren met afwijkingen. De conceptie zal in optimale omstandigheden gebeuren. Denk aan alle ziektes die geëlimineerd worden. In de bank wordt alleen sperma van hoge kwaliteit opgenomen. Eenmaal dat het zover is en u zwanger bent, zullen we uiteraard het verloop van de zwangerschap volgen. We hebben een beetje het gevoel dat het om onze kinderen gaat. Ik hoef hier niet aan toe te voegen dat de striktste geheimhouding in acht wordt genomen betreffende de identiteit van de biologische vader.

Wanneer ik thuiskom van de gynaecoloog breek ik de kippenren af. Ik maak het gaas los, rol het op en wrik de paaltjes uit de grond. Met een hamer klop ik de planken los en leg ze op stapeltjes. Waar de spijkers niet willen meegeven gebruik ik een bijl.

'Ga weg,' zeg ik tegen de kip, maar ze blijft in mijn buurt, zodat ik over haar struikel en haar sla met mijn ongehandschoende hand. Ze pikt hem zelfs niet maar nestelt zich tegen mijn been.

'Ik heb hier een bijl, kip. Besef jij wel wat ik kan aanvangen met een kip en een bijl? Ik hou een zwarte mis met het bloed dat uit je nek gutst. Als je mijn voet pikt dan doe ik het.'

Maar ze pikt niet vandaag. Ze wrijft haar veren tegen mijn been alsof ze een kat was en van mij een aai verwachtte.

In het stro liggen vijf eieren. Pas wanneer ik ze één voor één met de hamer verbrijzel, merk ik dat het laatste niet leeggezogen is. Eigeel spat in het rond, op mijn trui, mijn wangen, in mijn ogen, op de veren van de kip.

'Jouw geste komt te laat kip,' zeg ik, en veeg het eigeel met een zakdoek weg. 'Ik hoef jou niet meer, en ook jouw eieren niet. Ontsnap. De wijde wereld hoort je toe. Wat jij met je eieren aanvangt, laat me koud.'

Op de plaats waar het hok heeft gestaan begin ik te spitten. Mijn handpalmen branden en ik voel hoe er zich blaren vormen. Die dag raak ik een halve meter diep en ik heb een uur nodig om mijn handen te verzorgen. Wanneer mijn kuil diep genoeg is zal ik de wanden met stof afzetten. Onderin leg ik een matras, dekens en kussens. Het dak timmer ik met hout en camoufleer ik met takken. De kip krijgt geen toegang tot mijn kuil. 's Nachts wanneer Stefaan tussen de witte lakens in slaap is gevallen, zal ik het echtelijke bed verlaten en afdalen in mijn kuil. Ik zal hier slapen tot zonsopgang wanneer ik zal wakker worden van de kou. Tegen de ochtend zal ik uit mijn kuil klauteren om het ontbijt klaar te maken voor mijn echtgenoot. Overdag zal ik me toeleggen op het huishouden en truitjes breien voor mijn toekomstige kind. Ik zal de gynaecoloog trouw bezoeken. Uiteraard zal ik mijn lichaamstemperatuur dagelijks noteren en curven opstellen die mijn menstruatiecyclus vanuit verschillende invalshoeken belichten. Ik zal op het geschikte ogenblik mijn benen spreiden op de tafel van de gynaecoloog, mijn voeten in de beugels plaatsen en het strootje met uitgelezen zaad laten vasthechten op mijn baarmoederhals. Niet vóór het verstrijken van de voorgeschreven tijd zal ik lucht onder het zuignapje laten. Van de biologische vader zal ik alleen weten dat zijn lichaamsbouw, pigmentatie en medische geschiedenis die van Stefaan benaderen. En wanneer dan de chromosomen van een zaadcel van deze onzichtbare man erin geslaagd zijn een van mijn eicellen binnen te dringen, en die verrijkte eicel zich vastgehecht heeft aan mijn baarmoederwand, zullen monitoren het verloop van de groei en de vermenigvuldiging ervan volgen. Ik zal elektroden laten bevestigen op mijn buik, ik zal geluidsgolven laten sturen door mijn baarmoeder. Wanneer dan de eerste weeën geregistreerd worden, zal ik me laten vervoeren naar de kraaminrichting. Ik zal een infuusnaald in mijn aders laten aanbrengen om indien nodig de gewenste vloeistof met mijn bloed te laten mengen. Ik zal duwen en persen op bevel, ik zal mijn adem organiseren in stootjes, de gynaecoloog zal op het cruciale moment een knip geven in mijn vlees. Daarna zal ik blijven liggen terwijl ik genaaid word, en terwijl slijm en bloed van de baby worden afgewassen. De baby zal gewikkeld in doeken in Stefaans armen worden gelegd. Het zal, uiteraard, een zoon zijn en Stefaan zal tot zijn vader worden gemaakt. Thuis zal voor hem een wieg klaarstaan met kraakwitte lakens, en in de kast zullen hemdjes en truitjes en kruippakjes liggen. Wanneer hij 's nachts huilt zal zijn moeder opstaan uit het echtelijke bed om hem te voeden, te verschonen en weer in slaap te wiegen. Zijn moeder zal de kuil onderhouden voor later als hij groter is. De kuil zal zijn kamp zijn en hij zal zeuren tot hij de toelating krijgt om er 's nachts in te slapen. Zijn moeder zal hem berispen wanneer hij met vuile schoenen het huis binnenkomt. Ze zal hem aanmanen de aarde van onder zijn nagels te halen en het gras uit zijn haar te kammen. Ze zal hem in bad stoppen en schone kleren aantrekken. Ze zal dankbaar zijn voor detergenten en automatische wasmachines.

2 Eiland

Het eiland, zegt de folder, kan alleen per boot worden bereikt.

'Hoe anders,' zeg ik, 'zou een eiland bereikt kunnen worden?'

'Meen je dat nou?' vraagt hij.

'Wat?' vraag ik.

'Dat je niet weet hoe anders een eiland bereikt kan worden?'

'Per vliegtuig,' zeg ik.

'Tien op tien,' zegt hij.

Iedere ochtend leest hij voor uit de vakantiefolders die op het kleed naast het bed liggen. Hij wil dat ik naar de foto's kijk. Witgekalkte huizen met blauwe en groene luifels en deuren. Blauwe zee. Windmolens met uitgerafelde zeilen. Oude vrouwen in het zwart. Ezels op een stoppelveld. Patriarchen met volle baarden en wapperende gewaden.

'Dergelijke foto's stellen niets voor,' zeg ik. 'Ze staan in alle vakantiefolders.'

'Deze foto's betekenen zon, zee en lui genot.'

'Hoe kun je weten dat het er echt zo is?'

'Wat denk je? Dat ze panelen hebben opgesteld waarop dit decor is geschilderd?'

'Ik wil alleen maar zeggen dat er misschien een fabriek staat, vlak achter die molen, buiten het bereik van de cameralens. Of dat er een handvol ezels rondloopt voor de toeristen. En dat je moet betalen wanneer je op de foto wil met een ezel. Of met een patriarch. Of een oude vrouw.'

'Dit eiland is anders. De Grieken gaan er zelf met vakantie. De rijke Grieken. De reders. De miljonairs.'

'Ik heb het koud,' zeg ik en kruip onder de donsdeken tegen hem aan.

'Misschien ontmoet je er een rijke Griek met een zeilschip met een hoge mast en witte zeilen.'

'Zolang de mast maar hoog is,' zeg ik en leg mijn hand over zijn penis. We laten de wekker altijd een halfuur te vroeg aflopen, maar als we niet voortmaken is er geen tijd meer.

'Grieken vallen voor blondines.' zegt hij.

'Ik val voor hoge masten,' zeg ik.

'Wat ben jij subtiel,' zegt hij en stapt uit bed.

Ik trek de donsdeken over mijn hoofd en hoor hoe hij zich wast en aankleedt.

'Er is warm water,' zegt hij.

'Neen, dank je,' zeg ik, 'ik was me thuis wel.'

Thuis heb ik een douche, denk ik, een badkamer met een douche en centrale verwarming.

'Thee?' vraagt hij.

'Neen, dank je.'

'Weet je wat ik niet begrijp,' zegt hij en trekt de donsdeken weg, 'dat iemand als jij die het altijd zo koud heeft, iemand die altijd bibbert en rilt, geen greintje enthousiasme opbrengt voor een vakantie op een Grieks eiland. Een vakantie waarvoor je nota bene zelf niets hoeft te betalen.'

'Ik heb het koud,' zeg ik, en hij slaat de donsdeken weer over me heen.

'Ben je thuis vanavond?' vraagt hij.

'Misschien,' zeg ik.

'Wel,' zegt hij, 'ik ben waarschijnlijk de hele avond in de kroeg. Je weet waar je me kunt vinden.'

'Heb je met Jan afgesproken?'

'Jan zit in Nederland.'

'Waarom vraag je niet aan Jan of hij zin heeft om met je naar Griekenland te gaan?'

'Eerlijk gezegd heb ik daar zelf ook al aan gedacht.'

'En?'

'Hij vindt dat ik met jou moet gaan.'

'En als ik thuisblijf?'

'Dan kan ik hem opnieuw uitnodigen.'

'Tweede keuze.'

'Zo kan je het stellen. Luister. Ik moet ervandoor. Sluit jij alles af? Als ik je vanavond niet zie, bel ik je wel.'

Hij buigt zich over me heen, en ik bied hem mijn wang. Hij ruikt naar tandpasta en aftershave. Ik ruik naar slaap. Beneden hoor ik de deur in het slot vallen en ik sta op, trek mijn kleren aan en verlaat zijn kamer. Wat ik hem niet zeg en ook niet durf te zeggen omdat ik er later misschien spijt van krijg, is dat ik bang ben om drie weken alleen met hem op een eiland door te brengen. Drie weken in een studio met slaap- en badkamer, keuken en terras. Samen naar het strand, samen siësten, samen koken, winkelen, eten, vrijen, zonnen, slapen, wakker worden, ontbijten. Ik ken zijn antwoorden trouwens. 'We hoeven toch niet alles samen te doen.' 'Jij bent altijd zo pessimistisch. Misschien vinden we het juist erg leuk.' Onderweg naar huis koop ik verse yoghurt, sinaasappels en een croissant. De koffie loopt door terwijl ik me douch. Ik wikkel me in een witte handdoek, zet een plaat op, pers de sinaasappels en geniet van mijn ontbijt. Als ik klaar ben, smeer ik mijn huid in met hydraterende crème, trek schone kleren aan en stap naar het metrostation op de hoek van de straat. Mensen die van elkaar houden worden verondersteld zoveel mogelijk bij elkaar te zijn. Te willen zijn. Vakanties worden samen doorgebracht. Wanneer mogelijk wordt elkaars gezelschap opgezocht.

De vergadering duurt tot tien over zes. De spanning is om te snijden en iemand stelt voor om na te kaarten bij een glas wijn. Ik voorzie verdere woordenwisselingen en sla de uitnodiging af. Rond zeven uur belt Els en vraagt of ik zin heb om naar de bioscoop te gaan. Halverwege de film besef ik dat ik hem al eerder gezien heb al kan ik me niet herinneren waar, wanneer, en met wie. Achteraf wil ik dit aan Els vertellen en voel me zelfs in staat om er een uur over door te bomen. Over hoe ons geheugen ons in de steek laat. Over hoe we vergeten wat we ooit hebben geleerd. En hoe waardeloos dat wat we onthouden wel is. Maar Els begint meteen over haar haar. Drie weken geleden heeft ze het laten knippen en verven, en ze heeft zich nog altijd niet verzoend met het resultaat. Haar zus trouwt zaterdag en ze durft haar familie zo niet onder ogen te komen.

'Koop een pruik,' stel ik voor.

'Je vindt het dus ook niet leuk,' zegt ze.

'Ik vind het wel leuk maar je hebt andere kleren nodig. De kleren die je nu draagt horen bij lang, sluik haar.'

'Ik heb vooral geld nodig. Veel geld. Mijn zus trouwt met een man met geld. Ze gaan op huwelijksreis naar Martinique.'

'Misschien heeft de man een broer. Een broer met geld.'

'Zou je me geld kunnen voorschieten voor een poenige jurk?'

'Neen,' zeg ik.

'Dacht ik al,' zegt ze.

Op weg naar huis maak ik een ommetje langs de

kroeg. Door het raam zie ik hem zitten aan een tafel. Ik denk dat het Jan is die bij hem zit, maar ik ben er niet zeker van. Ik geloof niet dat het waar is, dat Jan in Nederland is.

's Anderendaags komt hij me ophalen aan mijn werk. Ik vraag hem wat er gebeurd is, wie er gestorven is, maar hij glimlacht en zegt dat er niets is gebeurd.

'Jij en ik gaan een wandeling maken,' zegt hij en neemt me bij de hand.

'Dat zeggen de boosdoeners in gangsterfilms, vlak voor ze hun slachtoffer afmaken op een verlaten plek, een park of een stort of een ondergrondse parkeerruimte.'

'Hoe word je bij voorkeur gemold? Gif, kogel door je hoofd, buik of borst, auto-ongeluk, touw om je nek? Jij hebt het voor het zeggen.'

'Kogel,' zeg ik.

'Komt in orde,' zegt hij.

In het kantoor van het reisbureau stopt hij een pen in mijn hand.

'Teken,' zegt hij. 'Hier.'

Ik aarzel. Dit is niet volgens de afspraak. Er worden geen bevelen gegeven.

'Laat me dan tenminste mijn deel betalen,' zeg ik.

'Mijn ouders betalen,' zegt hij.

'Ik ken je ouders niet. Ze kennen mij niet.'

'Daar kan altijd een mouw aan worden gepast.'

De folder liegt. Het is niet waar dat het eiland alleen per boot kan worden bereikt. de eerste dag huren we fietsen en komen langs een vliegveld. Een strook beton waar gras op groeit langs een wit gebouw met in blauwe letters het woord AIRPORT erop geschilderd.

'De landingsbaan is te kort,' zeg ik.

'Niet voor privé-vliegtuigjes. Hoe dacht je dat miljonairs dit eiland bereiken?'

'Per jacht.'

'Soms komen ze per jacht. Soms komen ze per vliegtuig.'

Hij heeft zijn voeten verbrand op de ferry naar het eiland. We zaten op het dek en keken onze ogen uit op de zee, de rotsen, het licht. 'Knapper dan de foto's,' dacht ik. De zon brandde in mijn huid. Ik had me met zonneolie ingesmeerd. Hij niet. Pas toen we aankwamen voelden we de vermoeidheid van vijftien uur onderweg zijn per vliegtuig, bus, ferry en taxi. Zijn ouders hadden ons naar het vliegveld gebracht.

'Aangename kennismaking,' zei zijn vader en schudde mijn hand.

'Blij je te ontmoeten,' zei zijn moeder. 'Ik heb al zoveel over je gehoord.'

De slaapkamer en het terras zijn ruim. De badkamer is piepklein. De keuken is een koelkast in de hoek van de slaapkamer met daar bovenop een elektrische kookplaat voor wie per se bij deze hitte wil koken. De eigenaar had mineraal water voor ons klaargezet. We dronken glas na glas en vielen uitgeput neer op het bed. Toen ik wakker werd hoorde ik hem vloeken.

'Wat is er?' vroeg ik.

'Mijn voeten,' zei hij.

Er zaten witte vlekken op de roodverbrande huid.

'Blaren?'

'Wat anders?'

'Je zal sokken moeten dragen.'

'Op een Grieks eiland?'

'Geen mens die je hier kent.'

'En jij dan?'

Ik hield mijn gezicht zoveel mogelijk in de plooi en glimlachte pas toen ik in de badkamer was en de deur achter me had gesloten. Met het water dat uit de kraan druppelde waste ik de oude laag zonneolie weg en bracht een nieuwe laag aan. Voor hij zich ging wassen, legde hij me uit dat alle eilanden met watergebrek te kampen hebben.

'Op sommige eilanden,' zei hij, 'moet het water per boot worden aangevoerd.'

'Hoe weet je dat?' vroeg ik.

'Ergens gelezen.'

'In de folder?'

'Misschien in de folder. Misschien ergens anders.'

Terwijl hij zich waste doorzocht ik zijn tas maar kon de folders niet vinden.

'Als je zin hebt,' riep hij vanachter de badkamerdeur, 'kunnen we fietsen huren. Dat is de beste manier om het eiland te verkennen.'

Het leek me een vreemd idee om in de blakende zon te gaan fietsen, maar ik veronderstelde dat de folder een verkenningstocht per fiets voorschreef. Wellicht wist iedereen, met uitzondering van mezelf, dat een Grieks eiland per fiets hoort verkend te worden.

'Leuk idee,' riep ik terug en ging op het terras wachten tot hij klaar was. Beneden op straat reden vier blonde meisjes in minirok op een fiets voorbij.

's Morgens ben ik het eerst wakker. De lucht in de kamer is warm en zwaar. Ik beweeg mijn lichaam er zo langzaam mogelijk doorheen. Ik beeld me in dat wanneer ik langzaam adem ik minder zweet. Hij wordt seconden na mij wakker en slaat zijn armen om me heen, al is het daarvoor te warm. Huid kleeft tegen huid. Ik maak mijn lichaam van het zijne los en begin hem te masturberen.

'Niet doen,' zegt hij en neemt mijn hand weg. 'Ik wil dat jij ook geniet.'

'Het is te warm,' zeg ik, 'het stoort me niet.'

Wat een opofferingsgezindheid.

Hij vraagt me of ik de vier Engelse s-en ken die bij vakantie horen. Vier Engelse woorden die met een s beginnen.

'Sea, sun, sex and sin,' raad ik.

'Neen,' zegt hij, 'geen sin. Sea, sun, sex and sand.'

'Sin is leuk,' zeg ik, 'leuker dan sand.'

'Laten we dan maar beginnen met sex. Tijd genoeg om over te stappen op sin.'

Na de douche zeg ik hem dat we de matrassen op het terras zouden kunnen leggen, dat het er koeler zou zijn.

'Ja,' zegt hij, 'en we kunnen kijk- en luistergeld vragen aan de voorbijgangers.'

Gewoontegetrouw nemen we elk een boek mee naar het strand, maar we lezen nauwelijks. Het licht is te sterk en te wit om de zwarte tekentjes op het blad te ontcijferen. We zitten op de gestreepte handdoeken die we in België gekocht hebben en smeren elkaars rug in met zonneolie. Om de beurt zeggen we hoe heerlijk het wel is, de zee, de zon, het licht. We gaan het water in, laten ons drogen, smeren ons opnieuw in met olie. Kort na de middag wandelen we naar waar tafels en stoelen onder bomen staan. Hij bestelt voor ons beiden retsina en een Grieks slaatje. Ik zeg niet: zoals aanbevolen door de folder. Ik denk het zelfs nauwelijks. Ik neem me voor 's middags naar de overkant van de baai te zwemmen. Ik wil zien wat er achter de rotspunt ligt. Een andere baai wellicht. Met strand en zee en baders. De lucht in onze kamer is warmer dan vanochtend. De tegels op het terras zijn te heet om er blootsvoets op te lopen. De mensen zeggen dat de wind uit Afrika waait. Dat het daarom zo warm is. Droge, warme wind uit de Sahara. Het water van de douche druppelt op onze huid en spoelt zout, zweet en olie weg.

Hand in hand liggen we op bed. Als ik mijn ogen sluit, zie ik blauwe zee.

'Zie jij ook blauwe zee, wanneer je je ogen sluit?' vraag ik.

'Er zwemt een vrouw in mijn zee,' zegt hij en draait zich naar mij toe. 'Ik geloof dat ik haar al eerder heb gezien. Ik denk zelfs dat ik haar naam ken.'

'Oh ja?'

'Ze heeft lang blond haar en glijdt als een dolfijn door de golven.'

'Een dolfijn of een zeemeermin?'

'Soms is ze een zeemeermin, soms is ze een dolfijn.'

Ik denk: straks moeten we opnieuw onder de douche. Zijn huid glimt. Hij likt me en zegt dat ik naar zout smaak.

'Ik ken nog een vakantie-s,' zeg ik wanneer we weer op het strand zitten.

'Welke?'

'Shower,' zeg ik.

Ik lees een halve paragraaf en kijk dan naar de mensen op het strand en in de zee. Iemand staat op, trekt haar broekje over haar billen, wrijft zand van haar buik, loopt naar de zee toe. Iemand tilt een kind in de hoogte, draagt het in zijn armen naar de zee, dompelt zijn beentjes onder. Het kind huilt, wil niet, moet toch. Een jonge vrouw masseert met lange geringde vingers haar huid. Een jongetje snijdt met een mes een driehoek uit een watermeloen. Het sap loopt over zijn kaken wanneer hij er zijn tanden in zet. Jonge meisjes bewegen zich gracieus naar het water toe. Hun haar is samengebonden of los, lang of kort, blond of zwart. Op het ritme van hun heupen sta ik op en loop in zijn gezichtsveld naar de zee. Ik kijk over mijn schouder of hij me volgt, en ziet hoe hij zich overeind duwt en het zand van zijn dijen slaat. Voetje voor voetje tast hij de zeebodem af, bang zich aan de keien te bezeren. Ik plens hem nat, duik onder zijn benen door. Wanneer ik naar de overkant van de baai begin te zwemmen, volgt hij me niet. Net als vanochtend spartelt hij in het ondiepe gedeelte. Ik besef dat hij niet kan zwemmen. Dat hij me niet zou kunnen volgen zelfs als hij dat zou willen. Vreemd dat hij me dat nooit verteld heeft 's ochtends in bed wanneer hij voorlas uit de folders. Ik hou mijn hoofd onder water en zie vissen zwemmen. Ik ben een vis, denk ik, een vis tussen de vissen, maar halverwege de baai zwem ik terug naar het strand. Hij schermt met zijn hand zijn ogen af. Wanneer ik zwaai, zwaait hij terug en gaat dan liggen op zijn handdoek.

'Ik wist niet waar je was,' zegt hij.

'In zee,' zeg ik, 'en jij?'

'Op Mars.'

'Ik wist niet dat jij niet kon zwemmen.'

'Het is te warm om te zwemmen,' zegt hij en draait zich op zijn buik.

Morgen, denk ik, morgen zwem ik naar de overkant.

's Nachts droom ik dat ik wandel op een muur in zee. Links en rechts van me is de zee diepblauw. Zo blauw dat je weet dat het water erg diep is. Ik loop op de muur, het water kabbelt rond mijn enkels. Af en toe steek ik mijn linker- of rechtervoet in het water links of rechts van me. 'Spring,' zegt iemand. Ik glimlach en loop door.

's Morgens drinken we Nescafé op het pleintje. Dit is het centrum van de hoofdstad, het hart van het eiland, een aantal straten, enkele huizen, wat winkels. Een voorschoot groot, zou mijn moeder zeggen. Midden op het pleintje staat een boom waarvan de stam witgekalkt is. Soms hangen jonge Grieken vissen die ze gevangen hebben te drogen aan een van de takken. Trofeeën waarvan de toeristen foto's maken. Jonge mannen op scooters of motorfietsen crikelen rond de boom. Een meisje komt aangewandeld uit een van de straten. Een scooter stopt voor haar en ze kruipt achterop. Voor ze verder rijden geven ze elkaar een zoen. Het is of hun lippen elkaar in het luchtledige opvangen. Dit is een gesofisticeerd ballet, besef ik. De timing gebeurt niet zomaar toevallig. De meisjes wachten in de coulissen tot het hun beurt is om het plein op te wiegen. De jongens brengen hun rijwiel tot stilstand seconden voor de meisjes de boom bereiken. Ze zijn mooi, gezond, gracieus, sensueel. Ze hebben geen oog voor de omstanders, de stervelingen die Nescafé slurpen, toast kauwen en toekijken.

'Denk je dat wij ook zo waren?'

'Hoe?' vraagt hij.

'Toen we jong waren. Denk je dat wij ons toen ook zo bewogen?'

'Wij zijn nog jong,' zegt hij.

'Neen,' zeg ik, 'wij zijn niet meer jong.'

We lopen terug naar de flat en ik ben me bewust van mijn heupen die wiegen bij elke stap, mijn armen die heen en weer bewegen door de warme lucht, mijn voeten die zich neerplaatsen op de weg. In de flat maakt hij zich klaar om naar het strand te gaan maar ik ga op het bed liggen en wacht tot hij naast me komt liggen.

'Vertel me over Jan,' zeg ik.

'Wat wil je weten?' vraagt hij.

'Hoe was het die keer met hem?'

'Dat heb ik je toch verteld.'

'Was het anders dan met een vrouw?'

'Ja.'

'Hoe anders?'

'Gewoon anders.'

'Heb je hem gezoend?'

'Ja.'

'Ze zeggen dat mannen niet altijd zoenen.'

'Wat wil je dat ik zeg?'

'Mis je hem? Verlang je naar hem? Wanneer wij vrijen, denk je dan aan hem?'

'Luister, we hadden gedronken. Ik ken Jan al jaren. Het ene bracht het andere mee. Het is toevallig gebeurd. Het was niet gepland. Jezus, hoe vaak moet ik je dit nog vertellen.'

'Het is niet wat je denkt. Ik ben niet jaloers. Ik wil alleen weten hoe het was. Hoe het voelde.'

's Avonds drinken we wijn op ons terras.

'Zou het kunnen,' zeg ik, 'dat er hier olie in de lucht zit?'

'Hoe bedoel je?'

'Voel mijn huid,' zeg ik. Ik sla mijn armen om mijn lijf. Mijn handen glijden heen en weer over mijn bovenarmen.

'Mijn huid zou ruw moeten zijn van het zoute water, het douchen, het zweet. Maar ze is soepel geolied. Zelfs mijn nagels glimmen.'

'Wel, denk aan alle zonneolie die je erin wrijft.'

'Als kind begroef ik vaak mijn gezicht in de bovenarmen van mijn moeder. Ik drukte mijn neus in haar huid en snoof diep.'

Hij wrijft zijn wang over mijn huid.

'Je hebt een stoppelbaard,' zeg ik en trek me weg. De avondbries streelt mijn huid.

'Ik adem met mijn huid,' zeg ik.

'Iedereen ademt met zijn huid. Anders ga je dood.'

'Ik adem de geuren van dit eiland in met mijn huid.'

Hij zwijgt, steekt een sigaret op, dooft ze weer.

'Hoor je de zee?'

'Ja,' zegt hij. 'Ze likt het strand.'

'Jammer dat jij niet kan zwemmen.'

'Spartelen is ook leuk.'

'Zwemmen is beter.'

'Waaraan denk jij wanneer we vrijen?' vraag ik.

'Aan jou.'

'Waaraan denk je echt? Waarover fantaseer je? Wat windt je op?'

'Jij.'

'Koop jij soms pornotijdschriften?'

'Soms.'

'En?'

'Altijd hetzelfde.'

'Zal ik je eens vertellen waarover ik fantaseer? Je moet me beloven dat je het aan niemand vertelt. Ook aan Jan niet.'

'Beloofd.'

'Ik fantaseer dat een man klaarkomt tussen mijn borsten.'

'Dat heet een parelsnoer,' zegt hij.

'Hoe weet je dat?'

'Ergens gelezen.'

'Daar gaat mijn allerindividueelste fantasie.'

'Wat had jij verwacht,' zegt hij, 'dat jij in je eentje na eeuwen van seksuele experimenten en fantasieën iets origineels zou bedenken? Ga op je rug liggen.'

'Waarom?'

'Dat zie je wel.'

Hij steunt op zijn handen en beweegt zijn penis heen en weer tussen mijn borsten. In minder dan geen tijd voel ik sperma in mijn hals.

'Nu heb je een parelsnoer,' zegt hij.

'Dank je,' zeg ik, 'ik zal het zorgvuldig bewaren.'

Hij geeft me een Kleenex en ik veeg me schoon. Ik had het me anders voorgesteld. Ik hou niet van dit parelsnoer, denk ik, en ga me douchen.

We eten in het restaurant bij het water. Zeker de helft van de klanten zijn Grieken, en dat, zegt hij, is een goed teken. Links van ons zitten een vrouw van in de veertig en een jongen van een jaar of zeventien.

'Daar heb je ze weer,' zegt hij.

'Wie?' vraag ik.

'Die vrouw en haar minnaar.'

'Dat is toch moeder en zoon,' zeg ik. 'Ze hebben bijna identieke trekken.'

'Knappe vrouw,' zegt hij.

Ze heeft kort grijs haar, een getaande huid, en helblauwe ogen.

'Zo zou ik oud willen worden,' zeg ik.

'Wat vind je van hem?'

'Jong,' zeg ik.

'De geluksvogel. Dat is mijn fantasie. Ingewijd te worden door een oudere vrouw.'

'Misschien is het niet te laat. Vraag het haar eens.'

'Ik ben veel te oud voor haar. Ze wil jong vlees in haar kuip.'

Maar ik ben ervan overtuigd dat het moeder en zoon is. Zij zit statig recht, haar hoofd bijna in haar nek. Hij laat zijn schouders hangen en kijkt verveeld. Gegeneerd. Wellicht beseft hij wat de mensen fluisteren achter zijn rug. Ofwel is het pose. Een act om toeschouwers om de tuin te leiden. De vis die we bestellen is duur, veel duurder dan de diepgevroren vis die uit Athene wordt ingevoerd, maar de eigenaar van het restaurant heeft hem die ochtend vroeg zelf gevangen. Hij toont ons zijn boot en troont ons mee naar de keuken. Eerst moeten we in de koelkast kijken, waar de vissen op een bord liggen naast koteletten en souvlaki. Dan heft hij één voor één de deksels van de pannen voor ons op.

'Moussaki, stuffed peppers, chicken with rice.'

'Fish,' zeggen we tegelijkertijd. 'And retsina.'

De retsina, zegt hij, is gemaakt met druiven van de streek. Nergens op het eiland hebben we wijngaarden gezien, maar we glimlachen en knikken allebei nadrukkelijk. De vis op mijn bord is een vis met een open bek, een oog en een grijs vel met zwarte spikkeltjes. Zodra ik het vel verwijder, merk ik dat het ook een vis met erg veel graten is, een vis die je langzaam moet oppeuzelen anders krijg je de graten mee naar binnen.

'Daarom is hij zo duur,' zegt hij. 'Je moet hem savoureren. Je moet hem smaken op je lippen, je verhemelte, je tong.'

Tussen twee happen door reik ik met een lange bruine arm naar het glas dat hij telkens weer bijvult. Mijn vingers lijken langer en slanker nu ze gebruind zijn. Twee vrouwen zoeken een tafeltje op het terras. De ene heeft kort opgeschoren blond haar, de andere heeft zwart krullend haar dat tot aan haar schouders reikt. De vrouw en de jongen naast ons staan op en de twee vrouwen gaan zitten. Telkens als ik opkijk van mijn vis zie ik het profiel van de vrouw met het zwarte haar.

'Mooi stel,' zegt hij.

'Wie?' vraag ik.

'Die twee,' zegt hij en wijst met zijn kin in hun richting.

Hij bestelt nog een fles retsina. We kijken naar de zee, de mensen aan de andere tafeltjes, de voorbijgangers. Af en toe laat ik mijn vingers over mijn armen glijden.

'Staar niet zo,' zegt hij. 'Je staart de hele tijd naar die vrouw.'

'Je hebt zelf gezegd dat ze mooi is.'

'Erg mooi zelfs. Gave huid, fijne beenderen, tengere ledematen haast. Maar ze heeft alleen maar oog voor haar vriendin.'

Hij heeft gelijk. Ze zijn de enige mensen op het terras die naar elkaar kijken en niet naar de andere mensen. Het is of ze op een eiland zitten. Eilandbewoners die groter, knapper, rijziger en gezonder zijn dan de mensen op het vasteland.

'Kijk naar mij,' zegt hij.

Ik leg mijn hand over zijn hand en kijk naar hem.

'Je bent erg mooi vanavond,' zegt hij.

'Maar niet zo mooi als die twee.'

'Bijna,' zegt hij, 'bijna zo mooi.'

Ik kijk hoe mijn arm zich uitstrekt over de tafel naar het glas, het opheft, naar mijn lippen brengt, weer neerzet.

'Retsina smaakt wrang,' zeg ik.

Hij geeft een teken en wat later brengt de man die de vis voor ons gevangen heeft een schoteltje met daarop een briefje. Hij legt er een aantal briefjes bovenop en we staan op. Arm in arm lopen we langs het water en slaan de straat in naar de flat toe. Mijn benen zijn zwaar wanneer ik de trap opklim. Hij haalt de sleutel uit zijn broekzak, steekt hem in het sleutelgat en draait. Binnen zwemmen onze lichamen naar elkaar. Ik wil hem niet zoenen, ik wil hem voelen met mijn huid, hem proeven met mijn poriën. Telkens als hij bijna klaarkomt, trek ik me terug en verander van houding, tot hij uitgeput in slaap valt. Naakt wandel ik het terras op. De nachtwind is warm, nauwelijks koeler dan overdag. De wind waait uit Afrika. Binnen op het bed slaapt hij. Ik schuif een stoel naast het bed en kijk naar hem. Ik steek een sigaret op en haal de rook diep in. Zijn adem ruikt naar retsina. Zijn penis ligt in een halve krul op zijn buik. Zijn mond hangt open. Wanneer mijn sigaret op is, douch ik me met het beetje water dat uit de kraan druppelt en wrijf mijn hals, bovenarmen en borsten in met aftershave. Ik trek een wit hemd van hem aan en ga de flat uit. Het terras waar we de vis gegeten hebben, is verlaten en ik wandel verder naar waar ik stemmen hoor en muziek. Wanneer ik de vrouwen zie zitten, ga ik aan een tafeltje in hun buurt zitten en bestel koffie. De vrouw met het zwarte haar heeft haar been opgetrokken en masseert haar voet. De nagels van haar tenen en vingers zijn rood gelakt. Mijn vingers rusten op mijn bovenarmen en lijken haar bewegingen te volgen. Heel even glijden de ogen van de blonde vrouw weg van haar vriendin en rusten kort op mij. De Nescafé is een warme straal in mijn lijf. Ik steek een sigaret op. Dan draait ook de vrouw met het zwarte haar haar gezicht naar mij. Ze kijkt me aan een kijkt dan weer weg. Ik haal een briefje van 100 drachme uit het borstzakje van zijn hemd en wandel weg naar waar de mensen overdag baden. De zee maakt kabaal. De golfslag is overweldigend. Luider dan overdag. Ik trek mijn kleren uit en zwem in een ruk naar de overkant van de baai en terug. Ik laat me drogen in het licht van de maan. In de flat is de lucht broeierig heet. Ik douch het zout van mijn huid en ga naast hem op bed liggen. Mijn arm rust op zijn buik. 's Morgens tussen slaap en waken, draait hij zich naar me toe. We slaan benen over elkaar en zijn penis glijdt soepel in mijn vagina. Hij is een tevreden baby die klaarkomt in zijn mama. Ik blijf liggen, verstrengeld in zijn lichaam, al is zijn huid klammer dan de mijne. Hij vraagt of ik het ook zo warm heb gehad in de nacht.

'Misschien leggen we beter de matrassen op het terras,' zegt hij. 'Het is toch te warm om te neuken.'

Hij staat op, drinkt enkele glazen water en gaat zich

douchen. Later vraagt hij me wat ik graag zou doen vandaag.

'Gewoon een beetje lezen,' zeg ik, 'en daarna misschien naar het strand.'

3 Bruidsjurk

'Beweeg jij nu,' zegt hij.

'Hoe?' vraag ik om tijd te winnen.

'Je weet hoe.'

Natuurlijk weet ik hoe. Vraag is of ik hem wil laten zien hoe. Of ik wil dat hij ziet hoe ik mij verlies. Zijn lichaam blijft roerloos boven het mijne, wacht af. Waarop steunt hij, flitst het door mijn hoofd. Knieën natuurlijk, en een elleboog. Hij is niet de man die ligt op een vrouw. Hij is niet het gewicht dat beukt en ramt. Hij zal niets ondernemen tot ik gevolg heb gegeven aan zijn verzoek. Ik beweeg.

Drie uur later spreek ik af met de man onder wiens lichaam ik jaren een bergplaats vond.

'Je ziet er moe uit,' zegt hij. 'Je zou moeten slapen 's nachts.' Dit is de concurrentieslag die ons beiden gaande houdt, die ons kleren doet kopen, vrienden uitnodigen, vakanties plannen. We stellen het best, vertellen we elkaar, maar ik weet beter en hij speurt naar tekenen van verval. Bezorgdheid, zo beweert hij, is wat hem drijft – hij zou niet willen dat het met mij bergafwaarts gaat – maar ik geloof hem niet. Leedvermaak is het, verlangen naar gerechtigheid, of gewoon verlangen naar een nobele rol voor zichzelf. 'Nadat iedereen de gevallen vrouw in de steek had gelaten vond zij troost en bescherming bij de man die ze ooit lichtzinnig had verlaten.' Hij vertelt me telkens opnieuw over een kennis van ons die me heeft gezien op straat en me eerst niet herkende omdat – zo zei de man – ik zo verouderd was.

'Larie,' zeg ik, 'ik heb die man in geen eeuwigheid gezien.'

'Jij hebt hem niet gezien maar hij heeft jou gezien en hij vond jou er oud uitzien.'

Maar wanneer ik mijn haar laat knippen bij de duurste kapper van de stad en in een week tijd drie paar nieuwe schoenen koop, wil hij weten waar ik het geld vandaan haal en of ik werkelijk alleen nog voor uiterlijkheden leef. Verzuim ik een enkele keer me op te maken, dan concludeert hij dat ik me laat gaan. 'Waar haal jij plots al dat grijze haar?' vraagt hij. Liever grijs dan kaal, denk ik en tel in de spiegel twee, drie, hooguit vier grijze haren. Wie verft er nu haar haar wegens een handvol grijs? Trouwens, grijs kan gedistingeerd zijn. Ik teken meteen voor een witgrijze kop.

Vandaag heeft hij gelijk. Ik vermijd mijn spiegelbeeld, wens niets te maken te hebben met dat verbrokkelde gezicht. 'Op jouw leeftijd,' zegt de spiegel, 'is dit gezicht de prijs die je betaalt voor een nacht zonder slaap.' Geef me een goede nachtrust en de schade is hersteld, de kreuken zijn weggestreken en alles zit weer op zijn plaats. Wanneer hij donkere kringen onder zijn ogen heeft, dan komt dat van het wezenloos naar muren zitten turen, van het staren naar een film waarvan de pointe hem ontgaat.

'Je ziet er moe uit,' zeg ik op mijn beurt.

'Wat wil je,' zegt hij, en hij kijkt weg.

We spreken af dat hij Sarah de volgende dag tegen de avond komt ophalen.

'Eet je dan mee?' vraag ik.

'Nee,' zegt hij, 'ik heb geen tijd.'

Wat hij zegt is: ik heb geen tijd zoals jij om uit te gaan, om overdag slaap van 's nachts in te halen, om winkels af te schuimen op zoek naar moois en nieuws.

'Je moet toch iets eten,' zeg ik. 'Je bent vel over been.' Welke vrouw zou jou willen omhelzen, denk ik. Je bent een geraamte dat rammelt, je bent een graatmagere beenderenzak.

'Ik zorg voor het evenwicht,' zegt hij. 'Jij verdikt, ik verdun. Zo is er winst noch verlies.'

Even zie ik mezelf zoals hij me schetst: dik, grijs en oud. En het klopt niet wat hij zegt, want toen we elkaar in lang vervlogen tijden voor het eerst zagen, zat hij zowel als ik goed in het vlees. Op de foto's van toen kijken we met volle gezichten glimlachend naar elkaar of naar de camera. We zijn allebei magerder nu. Vandaag ligt zijn geraamte als voor het grijpen onder een ragfijn laagje vel. Wanneer hij komt eten haal ik taart in huis met slagroom en nootjes en leg forse lappen vlees op zijn bord. Hij eet gretig maar er komt geen gram bij, zodat ik me soms afvraag of hij thuis wel iets eet. Misschien leeft hij van wat hem hier voorgeschoteld wordt.

'Kookt papa voor zichzelf?' vraag ik aan Sarah.

'Natuurlijk,' zegt ze. 'Voor mij en voor zichzelf.'

Sarah gijzelt me aan tafel. Ik mag niet weg voor ik een tekening heb gemaakt.

'Kom aan, mama, begin.'

'Laat me even nadenken,' zeg ik en ik probeer me de tekenlessen van vroeger op school te herinneren. Zaïre – toen nog Kongo – was eenvoudig. Palmbomen, blauwe lucht, hutten, zwarte figuurtjes met strooien rokjes, eventueel een wapenschild voor wie avontuurlijk was. En bloesem – mijn vriendin en ik hadden er een alternatieve tekening van gemaakt – bloesem in vogelperspectief zodat we naar hartelust konden kladderen met wit, roze en groen zonder ons te bekommeren om boomstammen of takken. En het leverde nog een goed cijfer op ook. Maar Sarah is strenger. Wat ik teken moet herkenbaar zijn. En kloppen. Lucht is blauw, zon is geel, gras is groen. Ik beproef mijn geluk met een weide, een koe, een konijn en een handvol madeliefjes. Het konijn lijkt op een poes, de koe lijkt nergens op.

'Het is mooi, mama,' zegt ze met de stem van haar juf die een zwakke leerling aanmoedigt.

'Vind je?'

'Ja,' zegt ze, 'dat paard vooral is leuk.'

'Dat is een koe.'

Sarah vult met wascostiften haar blad in. Een roze vlak naast een groen, dan geel, blauw, oker, rood. Over alle kleuren heen komt een laag zwart waar ze met een puntig voorwerp in krast zodat de onderste laag kleuren weer zichtbaar wordt. Ze trek een horizontale lijn en parallel daaraan nog een. Een driehoek voor het dak, een rechthoek voor de schoorsteen. Een huis met een boom erbij en melkflessen bij de voordeur, klaar voor de melkboer die straks zijn ronde doet.

'Droom niet, mama,' zegt ze.

'Ik droom niet. Ik kijk.'

'Teken,' zegt ze.

Ik kijk naar de kleuren die voor me op tafel liggen en kies groen. Omdat ik hem meestal 's nachts zie teken ik hem zonder bril. Een groene lijn voor zijn schedel en nog een voor zijn kin, dan zijn wenkbrauwen borstelig en nadrukkelijk. Ik sluit mijn ogen en probeer me zijn gezicht voor de geest te halen.

'Wat is er, mama? Heb je pijn?'

'Nee.'

Twee cirkels voor zijn ogen, en daarin twee kleinere voor de pupillen. Flaporen krijgt hij, al geloof ik niet dat hij die heeft.

'Wat teken je?'

'Een olifant. Een oude, roestige olifant.'

'Dat is geen olifant. Dat is een mens.'

'Je hebt gelijk. Olifanten hebben grotere oren.'

'En een slurf.'

'Inderdaad,' zeg ik, 'en een slurf.'

'Waarom lach je?'

'Zomaar. Kom Sarah, ik wil naar buiten. Trek in een ijsje?'

'Er zit bloed op mijn slurf,' had hij gezegd. Hij sloeg de lakens weg, was al op weg naar de badkamer. Bloed op de lakens ook. En op mijn dijen.

'Vind je dat vies?'

Had hij geantwoord? Ik herinner het me niet. Wellicht gewoon zijn schouders opgehaald. Wat maakt dat beetje bloed uit? Je wast het toch zo weg. Al jaren laat ik een spoor van bloed achter. Telkens als ik ergens in bed beland is het alle hens aan dek voor mijn hormonen en wordt de kersverse minnaar wakker met bloed op zijn pik. Liters van het spul worden in mijn lijf aangemaakt en er weer uitgepompt. Ik zou in mijn eentje een bloedtransfusiedienst kunnen bevoorraden. Maar wie wil er nog dit bloed dat zoveel verschillende lakens besmeurd heeft, dat onder zoveel verschillende douches is weggewassen?

'Wat doe jij wanneer ik er niet ben?'

'Niets. Gaan werken. Eten. Opstaan. Slapen. Wat doe jij?'

'Dat weet ik niet. Dat moet je aan papa vragen.'

Wanneer haar vader belt, holt ze naar de voordeur.

'Papa heeft honger,' zegt ze.

'Jij zou toch niet meeëten,' zeg ik.

'Nee,' zegt hij, 'maar toch heb ik honger.'

'Er staat nog wat kip in de koelkast. En er is brood.'

Zijn dochter gaat naast hem zitten, schenkt een glas wijn voor haar vader in, is verontwaardigd omdat er geen groenten voor hem zijn.

'Jij hebt meer groenten gegeten dan ik,' zeg ik.

'Omdat ik moest van jou.'

Haar ogen vlammen en ze legt een hand op zijn arm. Haar vader en ik glimlachen naar elkaar over haar hoofd heen, maar ze heeft het gezien en loopt de kamer uit.

'Waarom zeg je haar in 's hemelsnaam niet dat je genoeg hebt?'

'Maar ik heb niet genoeg,' zegt hij.

'Ga jij haar troosten, of ga ik?'

'Ze komt wel terug.'

'Kan je me naar het station brengen?'

'Waar ga je naar toe?'

'Uit.'

Ik gooi een paar spullen in een tas en trek andere kleren aan. Sarah heeft zich in de badkamer verschanst.

'Kom,' zeg ik, 'het is tijd.'

'Waar ga je naar toe?'

'Naar vrienden.'

'Mama rijden,' zegt ze.

'Ik ga maar mee tot aan het station, Sarah.'

'Mama rijden, papa bij mij zitten.'

Wij, ouders van Sarah, kijken naar elkaar, halen onze schouders op, geven toe aan haar gril.

'Ik bel wel,' zeg ik, en ik geef hem een zoen. 'Dag Sarah,' maar ze kijkt boos de andere richting uit.

Hij leert me een nieuw woord – kutzwager.

'Wie zijn mijn kutzwagers?' vraagt hij.

'Ik wist niet dat jij zo nieuwsgierig was.'

'Natuurlijk ben ik nieuwsgierig. Wie is dat niet?'

We proberen een vrouwelijk equivalent te bedenken. 'Piemelnicht,' denk ik maar zeg het niet. 'Nicht' is niet echt goed. Te nichterig. Te homofiel. Wie met iemand neukt, neukt tegelijkertijd met alle partners die die persoon de laatste zeven jaar gehad heeft. Medisch bekeken althans. Genot, verlangen en frustratie blijven tot nader order binnen de perken van het bed, maar besmettingsgevaar kent geen grenzen. De ketting is in principe eindeloos lang, want je neukt niet alleen met de partners van je partner, maar ook met partners in de tweede graad, partners van partners van partners. Als het waar is wat in de pers wordt geschreven dan is het een mirakel dat er nog menselijk leven is op deze planeet, dat niet meer uitgemergelde lichamen zich schuilhouden tussen vier muren om daar te kunnen sterven. Soms gaat het erg snel. Een vriend vertelde het me onlangs. Een kennis van hem, kerngezond, actief sporter, iedere zaterdag weg met zijn zeilboot of anders aan het langlaufen. Op een maandag staat hij op, voelt zich draaierig, valt flauw. De man komt bij, gaat naar zijn werk, en valt kort na koffietijd opnieuw flauw. Hij wordt naar huis gebracht en verliest dezelfde dag nog drie keer het bewustzijn. Een week later werd hij begraven.

'En zijn vrouw?'

'Hij had geen vrouw. Maar hij was geen homofiel. Dat zweer ik je.'

'Ben jij bang voor Aids?' vraag ik.

'Daar is het een beetje laat voor,' zegt hij.

Zijn vingertoppen glijden over mijn tepels. Adem stokt in mijn keel.

Klieren, heb ik gelezen, zijn de eerste symptomen. Gezwollen klieren die niet ontzwellen, of een ontsteking die niet geneest, of vermoeidheid zonder aanwijsbare oorzaak, maar dat kan ook je lever zijn. Wat maakt het uit? Het is dan toch te laat. Je kan alleen nog bidden om een snelle afwikkeling, om een haastige sprong in het graf. Iedereen zegt: ik leef liever snel en intens dan dat ik een trage, langzame dood sterf, waarmee een leven zonder risico's wordt bedoeld, en zonder avontuur. Maar die uitspraak klopt natuurlijk niet, want hoe tergend langzaam is de dood voor hem of haar die snel geleefd heeft en nu wacht tot één voor één al zijn of haar organen volledig ontregeld raken. Ja maar, zegt iedereen, ik zou niet lijdzaam toezien, ik zou niet wachten op de dood. Ik zou mezelf onder een trein gooien of met mijn wagen in een kanaal rijden. Eerst zou ik me bezatten, of lekker gaan eten en lekker neuken – neen, dat laatste kan natuurlijk niet meer, tenzij met iemand die in hetzelfde schuitje zit – en dan de korte pijn, een snelle dood, iedereen is welkom op mijn begrafenis, ik wil dat het een groot feest wordt, daar wil ik geld voor opzij leggen. Iedereen zegt het en iedereen meent het, maar niemand doet het.

'Gaan we naar boven?' vraag ik.
  Hij glimlacht.

Denken aan de man die me vertelde bij wijze van experiment ooit een week lang iedere nacht met een ander te hebben doorgebracht. Hij had er de goede week voor uitgekozen, de week van het lijden en de triomf van Christus. Als die week goed genoeg was voor Christus, zei hij, dan zou zij zeker voor hem dienst doen. Hij begon op Palmzondag, dag van de blijde triomfantelijke intocht. De daaropvolgende dagen noemde hij gemakshalve palmmaandag, -dinsdag en -woensdag. Witte donderdag werd een nuit blanche, op Goede Vrijdag bakte hij vis voor zijn geliefde van die nacht, op Paaszaterdag serveerde hij lamsbout en op Pasen nodigde hij hen alle zeven uit om paaseieren te rapen in het hoge gras. Het was de dag van de opstanding en hij zou die nacht alleen slapen.

'Ik weet wat je gaat zeggen,' zei ik, 'dat de beste nacht de laatste was, de verlossende nacht na Pasen.'

'Dat heb ik niet gezegd. Jij zegt het.'

Toen ik hem vroeg of het moeilijk was geweest zeven gegadigden te vinden, schudde hij zijn hoofd langzaam van links naar rechts.

'Nee,' zei hij, 'ik wil niet opscheppen maar dat was het kleinste probleem.'

Maar lakens waren een probleem geweest, iedere middag een schoon stel op het bed, verse bloemen in de vaas, schone handdoeken in de badkamer. Na drie dagen was hij bij zijn zus gaan aankloppen. Om lakens te lenen.

'Er is altijd wel die ene vrouw die bereid is haar armen om je hals te slaan, haar benen achter je rug te kruisen, maar lakens,' zei hij, 'lakens heb je of heb je niet. Lakens moet je kopen. Blijf je slapen?'

Langzaam mijn hoofd van links naar rechts schudden. En dan sneller.

'Jammer.'

Er is altijd wel die ene man die zin heeft om te vrijen, of het nu Pasen is, Kerstmis, of Hemelvaartsdag. Soms is hij blond, soms is hij zwart, soms is hij kaal, soms zijn zijn lakens schoon, soms zijn ze door een ander bevuild.

'Hoe heet hij?' vraagt haar vader.

'Wie?'

'Je weet wie ik bedoel.'

Jan,' zeg ik. 'En ik heet An. An en Jan. Of Els en Piet. Of Linda en Marc. Je mag kiezen.'

Hij staart me aan of ik gek ben geworden.

'Je ziet bleek. Kom jij nog buiten?'

'Natuurlijk. Onderweg van hier naar de supermarkt, of naar het station, of naar de metro. Er zijn weinig mensen die zo gezond leven als ik.'

'Kijk jij soms in een spiegel?'

'Nee,' zeg ik, 'nooit meer.'

Hij wil scheiden. Officieel. Hij was altijd al degene die hield van documenten en formaliteiten. Hij wou trouwen, hij stak trots het trouwboekje in zijn binnenzak. We zoenden elkaar en onze kersverse schoonfamilie, en waren getrouwd. 'Voor ons, Meester zo en zo, notaris te zo en zo, zijn verschenen', eerst zijn naam – altijd eerst zijn naam – dan de mijne en dan enkele zinnen later die van Sarah – kind geboren uit dit huwelijk. We verklaren dit, we verklaren dat, we komen overeen, we passen toe, we zetten onze handtekening. Geen zoenen deze keer, alleen brokken in de keel, en dan toch, onverwachts, een fikse handdruk van de notaris. Maar we worden niet proficiat gewenst.

'Waarom heb je geen wagen?' vraagt ze.

'Stappen is gezond,' zeg ik.

'Oma zegt dat opa jou vroeger overal naar toe bracht met de wagen.'

'Daar herinner ik mij niets van.'

'Oma zegt dat opa een van de eerste wagens in België had.'

'Sarah, dat kan toch niet.'

'Ik ben moe.'

'Sarah, ik kan jou toch niet meer dragen. Daarvoor ben je te groot. En laat die duim uit je mond.'

'Ik wil naar papa.'

'Als je nu flink stapt, krijg je straks een ijsje.'

'Ik kan niet meer.'

'Kom, ik draag je.'

Later zitten we samen aan tafel te tekenen. Het licht brandt, wie wil kan naar binnen kijken. Een vrouw belt aan en vraagt of we een poesje willen hebben.

'Toen ik u zag zitten,' zegt ze, 'dacht ik: dat is iemand die van poezen houdt. Waarom komt u niet even kijken. Ik woon enkele huizen verder.'

Schattig zijn ze, kleine hoopjes dons in zwart, wit en bruin. Sarah is verloren, wil ze allemaal, met de moeder erbij als het even kan, maar ik maak van mijn hart een steen en zeg resoluut: 'Kom Sarah, het is bedtijd.' Ze zit gehurkt bij het nest alsof ze zelf een poes wil zijn en samen met de andere poesjes over de moederpoes wil tollen.

'Je kan het aan je vader vragen, Sarah, maar bij mij kan het niet. Wat gebeurt er met het dier wanneer ik met vakantie ga?'

'Papa wil ook geen poes. Niemand wil wat ik wil.'

'Het spijt me,' zeg ik tegen de vrouw, 'het kan echt niet.'

'Je kan hier altijd naar de poesjes komen kijken,' zegt de vrouw tegen Sarah en stopt haar een snoepje toe.

Licht valt door de gordijnen naar binnen. Buiten is het mooi weer. Hoge blauwe lucht die de opening tussen de gordijnen vult. Uitrekenen welke trein ik moet halen om op tijd terug te zijn voor Sarah. Als ik rond vier uur thuis ben heb ik tijd zat om boodschappen te doen en op te ruimen. Sarah haar rommel. Ik draai me op mijn zij en slaap verder. Twee uur later trek ik de deur achter me dicht. Hij is niet wakker geworden.

'Mag ik bij jou slapen vannacht?'
  'Als je morgen flink stapt.'
  'Ik zal flink stappen.'
  'En als je niet duimt.'
  'Ik zal niet duimen.'
  Wanneer ik rond middernacht behoedzaam naast haar ga liggen, steekt haar duim in haar mond. Hij zit rotsvast. Ik wring hem eruit, maar zodra ik hem loslaat springt hij er weer in.

'Er wordt een braderie gehouden hier in de buurt,' zegt haar vader wanneer hij haar brengt, 'nauwelijks twee straten verder. Heb je het niet gezien?'
  'Nee.'
  'Jij ziet nooit iets.'
  We spreken af dat hij Sarah de volgende dag om zeven uur komt ophalen. Hij vraagt of ik een biertje in huis heb, ik zeg van neen, hij zegt dat ik nooit wat in huis heb maar blijft toch zitten. Tenslotte, na wat een eeuwigheid lijkt, gaat hij staan.
  'Tot morgen,' zegt hij.
  'Tot morgen,' zeg ik.
  Sarah neemt afscheid van haar vader bij de voordeur. Ik mag daar niet bij zijn.

Er staat een carrousel op de braderie, maar Sarah volgt de mensenstroom en trekt me mee naar een tent waar erg luide muziek wordt gespeeld. Binnen zitten mensen in rijen op houten klapstoeltjes naar een leeg podium te kijken. Een man in een clownspak komt op en jongleert met balletjes en kegels. Er wordt geapplaudisseerd, al brengt hij er niets van terecht. Sarah geeft me een por omdat ik niet in mijn handen klap. En dan wordt het plots duidelijk wat hier opgevoerd wordt. Een vrouw op hoge hakken wiegt het podium op, plaatst een hand in haar zij, buigt een knie en wacht. Een man komt te voorschijn van achter palmen, de vrouw reikt hem een kaartje aan, de modeshow begint. Sarah kan haar ogen niet afwenden van de grote, ranke, slanke wezens die sloom defileren in avondjurken, bontjassen, mantelpakjes. Het ritueel biologeert haar: een vrouw bestijgt de trapjes, reikt haar kaartje aan, begint haar lange, trage gang over de rode loper naar het podium. De presentator leest de tekst en becommentarieert. Voor iedere jurk is er andere muziek, disco voor iets knallend geels en roze van glimmende stof – of is het plastic? – een strijkkwartetje voor een zigeunerrok met een wijde witte kanten bloes. Het defileren gaat eindeloos door. Mijn hand rust op Sarahs schouder. En nu kondigt de presentator het hoogtepunt van de show aan. 'Wat u zo meteen te zien krijgt,' zegt hij, 'overtreft uw stoutste dromen. Kortom, het is een sprookje.' Ik heb pas door wat hij bedoelt wanneer de eerste noten van de bruiloftsmars weerklinken en de bruidsstoet met trage passen binnenschrijdt, vooraan vier meisjes in roze jurken met linten en strikjes versierd, dan de bruid en de bruidegom – zij in stralend wit, hij in bescheiden grijs – en tenslotte een suite met twee mannen en twee vrouwen. De stoet loopt het podium helemaal af en maakt dan rechtsomkeert, langzaam, tergend langzaam, en de hele tijd speelt die verdomde bruiloftsmars en wordt er enthousiast geapplaudisseerd voor het jonge stel, de charmante bruid in de beeldige jurk, de stralende bruidegom, en ik vervloek mezelf om de tranen die in mijn ogen springen bij deze show, dit holle vertoon, deze publiciteitsstunt van de plaatselijke middenstand. De hele tent ooht en aaht en applaudisseert wild en snel. Later moet ik het haar wel tien keer uitleggen. Dat het hem om de jurk te doen was die de eigenaar ervan aan de trouwlustigen onder het publiek wou laten zien, omdat die de jurk dan eventueel zouden kopen. Maar Sarah blijft ervan overtuigd een bruiloft te hebben bijgewoond. Voor haar zijn de man en de vrouw die in de bruiloftskledij defileerden in de tent op het podium onder haar ogen met elkaar getrouwd. Uiteindelijk dringt er toch iets van wat ik zeg tot haar door, en komt ze tot het besluit dat mensen dus twee keer kunnen trouwen. Niets weerhoudt die twee er immers van om in de toekomst nog eens te trouwen, met iemand anders of met elkaar. Ik zeg haar dat mensen inderdaad twee keer kunnen trouwen maar dat ze dan wel eerst moeten scheiden, en dat hoe dan ook de modeshow niets te maken had met een bruiloft.

'Het ging om de jurk,' zeg ik koppig.

Ze zwijgt en ik weet dat ze me niet gelooft.

'Het zou natuurlijk kunnen dat die man en die vrouw toevallig met elkaar getrouwd waren. Maar dan waren ze dat al voor de show.'

'Ik heb honger,' zegt ze.

'Daar kan je pannekoeken krijgen,' zeg ik, en ik neem haar bij de hand.

4 *Zusters*

Vandaag heeft de psychiater me gevraagd of ik me kon herinneren mijn moeder ooit naakt te hebben gezien.

'Kunt u zich uw moeder voor de geest brengen?'

'Ja natuurlijk,' zei ik.

'Draagt ze kleren?'

'Ik denk van wel. Waarom praat u over mijn moeder alsof ze dood is?'

'Was het bij u thuis gebruikelijk om de badkamerdeur op slot te doen?'

'Hoe bedoelt u?'

'Als iemand zich stond te wassen, deed die dan de deur op slot?'

'Neen, ik geloof het niet. Toch niet dat ik het mij kan herinneren.'

'En uw moeder? Deed zij de deur op slot?'

'Ik veronderstel van niet.'

'Dus als u dat wou kon u de badkamer binnenlopen wanneer uw moeder zich aan het wassen was?'

'Ik veronderstel van wel.'

'Kunt u zich herinneren ooit uw moeder naakt te hebben gezien? In de badkamer bijvoorbeeld.'

'Waarom wilt u dat weten?'

'Vertel me eens over het lichaam van uw moeder.'

'Het lichaam van mijn moeder?'

'Ja.'

'Grijs haar. Kort. Golvend. Bruine ogen. Een kleine neus...'

'U praat over haar gezicht. Haar uiterlijk. Ik heb u

een vraag gesteld over haar lichaam. Voelt u haar lichaam?'

'Of ik haar lichaam voel?'

'Als kind werd u toch door uw moeder geknuffeld?'

'Ik veronderstel van wel.'

'Wat herinnert u zich hiervan?'

'Dat weet ik niet.'

Het enige inzicht dat deze gesprekken me tot dusver hebben bijgebracht is dat ik een merkwaardig slecht geheugen heb. Soms verklaart de psychiater dat mijn geheugen geblokkeerd zit. Op andere dagen heet het dat het geatrofieerd is. Meestal noemt hij het onwil. 'U probeert niet eens. U levert geen enkele constructieve bijdrage.' Vaak draait het erop uit dat het gesprek vroegtijdig wordt afgebroken. Vandaag bijvoorbeeld deed hij al na tien minuten zijn horloge weer aan.

'Zolang u weigert mee te werken,' zei hij, 'kan ik niets voor u doen.'

'En mijn huiswerk?' vroeg ik.

'Concentreer u op het lichaam van uw moeder. Schrijf op wat haar lichaam voor u betekende.'

'Maar mijn moeder leeft nog.'

'Als kind. Wat het voor u betekende als kind.'

In theorie duurt elk gesprek dertig minuten. Bij het begin legt de psychiater zijn horloge voor zich op tafel en dertig minuten later doet hij het weer aan. Iedere week krijg ik huiswerk mee. Een vraag waarop ik me moet bezinnen en het antwoord in een schriftje moet schrijven. De behandeling loopt nu al zes maanden en ik heb nauwelijks vijf kantjes vol geschreven. Hij zag er moe uit vandaag. Zakken onder zijn ogen. Slecht geschoren. Een lelijke das. Psychiaters zouden geen gezicht mogen hebben. Zijn uiterlijk leidt me af. Hij is onderhevig aan humeurigheid.

Toen ik Dirk op een avond vroeg wat hij ervan zou denken als ik eens met een psychiater ging praten, vroeg hij me of ik echt dezelfde weg op wou als mijn zus.

'Is het niet welletjes zo?' zei hij.

Dirk is ervan overtuigd dat het een familiekwaal is. Hij observeert de kinderen nauwlettend. Bespiedt hen. Een slecht rapport, een huilbui, een brutaal antwoord, een driftige weigering wordt geïnterpreteerd als een teken aan de wand.

'Zie je wel dat het in de genen zit.'

'Wat zit in de genen, Dirk?'

'Waanzin.'

'Bij mijn weten is niemand in de familie waanzinnig. Toch niet in mijn familie. Mijn zus maakt een depressie door. Dat is alles.'

'Waanzin. Depressie. Neurose. Psychose. Vroeger bestond daar maar één woord voor.'

'Welk woord dan wel,' vraag ik, maar hij antwoordt niet.

De waarheid is dat ik net zo min weet als Dirk welke woorden op Helen van toepassing zijn. Ik heb geen inzage van haar dossier. Ik weet niet in welke bewoordingen haar toestand wordt beschreven. Toen Helen een overdosis nam, noemde iedereen het een hulpkreet. Geen zelfmoordpoging. Gewoon een hulpkreet.

'Ze wist dat ze tijdig zou worden gevonden. Ze had het zorgvuldig getimed.'

En toen de huisarts de familie aanraadde Helen in het ziekenhuis te laten opnemen, veronderstelde iedereen dat het om een banale depressie ging.

'Ze heeft die echtscheiding nog altijd niet verwerkt,' zei de ene.

'Geef haar een maand en ze is weer de oude,' zei de andere.

'Ze zag er al een hele tijd niet goed uit,' zei een derde.

'Het zal haar deugd doen om eens met een buitenstaander te praten,' zei ik.

'Zolang je de kinderen er maar niet bij betrekt,' zei Dirk. 'Zolang niemand het in zijn hoofd haalt hen mee te slepen naar het ziekenhuis.'

Het eerste jaar bezocht ik haar wekelijks. Aanvankelijk was ze erg stil. Ze wriemelde met haar vingers, pulkte aan haar haar, zei geen woord. Het was of ze me niet zag. Of onze ogen elkaar nooit kruisten. Andere patiënten kwamen bij ons zitten. Soms jaagde Helen ze weg. Meestal scheen ze hen niet op te merken. In het ziekenhuis heeft iedereen alleen een voornaam en iedereen heeft het recht je die te vragen. 'Ik ben Martha,' antwoordde ik automatisch en greep de hand die naar me werd uitgestoken. Niemand die hier bezoek of verpleging voor een patiënt zal houden. Hun voornamen mogen dan nog verschillend zijn maar hun ogen staan gelijk.

'Natuurlijk zijn hun ogen wazig,' zei Dirk. 'Die patiënten zijn platgespoten. Wat had je dan gedacht.'

Telkens weer gleden haar ogen naar ergens links achter me zodat ik me afvroeg wat er daar te zien was. Omkijken om enkel een witte muur te zien, en een rij identieke stoelen.

Later begon ze te praten. We zaten tegenover elkaar aan een tafeltje in de recreatiezaal en ik probeerde haar ogen te onderscheppen.

'Bea zegt dat ik een begaafde vrouw ben,' zei ze plots.

Ik dacht: 'Nu kan ik haar ogen terughalen. Als ze maar blijft praten dan haal ik haar ogen terug.'

'Luc zegt dat ik artistiek ben aangelegd,' zei ze.

Haar ogen dwarrelden rond.

'Jan zegt dat ik mooie benen heb.'

'Ja natuurlijk,' zei ik en keek over mijn schouder naar de witte muur. De stoelen stonden nog steeds op een rij.

'Waarom kijk jij altijd weg van me?' hoorde ik Helen vragen. 'Waarom kom je hier als je me toch niet wil aankijken. Jij ziet me niet staan. Niemand van de familie heeft me ooit zien staan.'

Haar ene oog doolde roerloos in zijn oogkas, maar het andere ving mijn blik. Seconden lang fixeerde het me en was dan weer verloren. De verwijten waren begonnen. Het schelden liet niet lang op zich wachten. Ik zou me laatdunkend uitgelaten hebben over haar echtscheiding. Ik zou me smalend hebben opgesteld tegenover haar man. Ik zou mama tegen haar hebben opgezet. Ik zou verteerd zijn van jaloezie.

'Jullie waren bang dat ik jullie zou overtroeven. Daarom hebben jullie me willen vernietigen.'

En,

'Jij en je verdomde meerderwaardigheidsgevoel.'

Of,

'Onderkruipster.'

Dirk vond dat het geen zin had Helen nog langer te bezoeken.

'Of ben je misschien masochistisch aangelegd?' vroeg hij.

'Misschien zit er wel een grond van waarheid in wat ze zegt,' zei ik.

'Waanzin,' zei hij.

Ik wist niet of Helen ook bij mijn moeder zo tekeerging maar ik durfde haar er niet over aan te spreken uit vrees te vernemen het enige mikpunt van Helens scheldpartijen te zijn.

Vaak had ze het over kleren. Ik zou altijd rode kleren gekregen hebben, zij altijd blauwe, hoewel een kind kon zien dat rood haar kleur was.

'Bij zwart haar en donkere ogen hoort toch geen blauw,' zei ze. Blauw was voor zwakkelingen. Blauw was voor mensen met bruin haar. Maar al droeg ik dan nog rood, zij was de knapste. Ik was de lelijke zus voor wie mooie kleren niet mochten baten. Zij was Assepoester die schitterde zelfs in de nederigste lompen. Niemand kon haar schoonheid voor de wereld verborgen houden.

'Het vreemde is,' zei ik tegen Dirk, 'dat ik mij niet kan herinneren dat wij elk een eigen kleur hadden. Maar het is een feit dat ik veel rood draag. Ik geloof niet dat ik een blauwe t-shirt heb.'

'Nou en? Wat bewijst dat?'

'Dat bewijst dat niet alles wat ze zegt nonsens is. Dat je haar woorden niet zomaar naast je kunt neerleggen.'

'Voor mij bewijst dat alleen dat het geen zin heeft je zus nog langer te bezoeken.'

Toen kwam de tijd dat ze begon te gillen en te stampvoeten zodra ze me de afdeling zag binnenkomen. De derde keer dat dit gebeurde raadde de verpleegster me aan af te zien van mijn bezoekrecht.

'Al was het maar voor enkele weken. Uw aanwezigheid maakt haar onrustig. Te veel opwinding is niet goed voor haar,' zei ze eufemistisch en leidde me met vaste hand de afdeling uit. Dirk gaf geen commentaar toen ik verslag uitbracht. Zelfs geen 'Wat had ik je gezegd,' kwam over zijn lippen. Misschien verwachtte hij dat ik zelf zijn gelijk zou erkennen. Ofwel was de zaak voor hem afgehandeld en wenste hij er verder geen woorden aan vuil te maken. Maanden na mijn laatste bezoek aan Helen begon ik hem te vragen wat hij ervan zou denken als ik met een psychiater ging praten. Avond na avond sneed ik het onderwerp aan.

'Ik zou hem kunnen vragen of het congenitaal is,' zei ik.

'Doe wat je niet laten kan,' zei hij tenslotte. 'Zolang je de kinderen er niet bij betrekt.'

Na zes maanden behandeling is het me nog altijd niet duidelijk of mijn zus en ik door dezelfde psychiater behandeld worden. Volgens de psychiater is de kwestie irrelevant.

'Uw zus en u zijn twee aparte gevallen. Twee afzonderlijke dossiers met daarop toevallig dezelfde achternaam.'

Zijn vragen achtervolgden me. 's Nachts lig ik wakker en pieker. Het schriftje hou ik altijd bij de hand al komen er weinig of geen woorden in terecht. Dromen zouden het verleden kunnen onthullen maar ik droom allang niet meer. De nachten zijn lang. Ik heb het verhaal genoteerd over de blauwe en rode kleren maar de psychiater zei dat dat niet telde.

'Het gaat erom wat u zich herinnert. Niet om wat uw zus zich herinnert.'

Ik heb een plannetje geschetst van het huis waarin mijn zus en ik zijn opgegroeid. En van de weg die we dagelijks volgden van huis naar school.

'Jullie slaapkamer lag dus naast die van jullie ouders,' zegt hij.

'Ja,' zeg ik.

'En hoe was jullie kamer ingericht?'

'Hoe?'

'Waar stond jouw bed? Waar stond dat van je zus? Sliepen jullie in stapelbedden?'

'Neen. Niet in stapelbedden. Dat zou ik me herinneren.'

'En het behang? Welk behang was er aan de muur?'

'Dat weet ik niet meer. Misschien herinnert mijn

moeder het zich nog. Ik zou het haar kunnen vragen.'

'Mevrouw, wat uw moeder zich herinnert doet niets ter zake.'

De psychiater noemt me nooit bij mijn voornaam. Het subtiele verschil tussen patiënten die na afloop van het gesprek de ziekenhuispoort achter zich toetrekken en patiënten die hier dag in dag uit verblijven. Soms is het of hij mij wil hypnotiseren. 'Ontspan u, mevrouw. Ontspan u. U bent weer een kind. U ligt in de slaapkamer naast die van uw ouders. U ligt in een éénpersoonsbed. Wat hoort u? Wat ziet u? Wat voelt u?'

'Wees maar op je hoede,' zegt Dirk. 'Voor je het weet zit hij bij ons in de slaapkamer. Niet dat er daar veel te beleven valt.'

Voor het huiswerk over het lichaam van mijn moeder plak ik een foto van haar in het schriftje. Ze draagt enkel een badpak en lacht breed naar de camera. Op haar arm draagt ze een naakt kind. Dat kind ben ik. Mijn ene been bengelt tegen haar buik, mijn hand ligt op haar borst.

'Maar u herinnert het zich niet?' zegt hij.

'Neen,' zeg ik.

'En met uw vader? Hoe was het lichamelijke contact met uw vader?'

'Mijn vader is al zolang dood.'

'Maar hij was niet dood toen u een kind was.'

'Neen.'

'En uw zus? Had u lichamelijk contact met uw zus?'

'Ik veronderstel van wel.'

'Kropen jullie bij elkaar in bed? Knuffelden jullie elkaar?'

'Het lijkt me het normale gedrag voor twee zussen die een slaapkamer delen.'

'Maar was het uw gedrag?'

'Waarschijnlijk wel.'

'Mevrouw, wat was uw eerste sexuele ervaring?'

'Mijn man had me gewaarschuwd dat u vroeg of laat over sex zou beginnen.'

'Als u het zo aanvoelt heeft het geen enkele zin dat wij verder praten,' zegt hij en grijpt zijn horloge. Hij geeft me geen huiswerk mee. Hij vraagt me niet om over het lichaam van mijn zus te schrijven. Om na te gaan wat haar lichaam voor mij als kind betekende. Ook zonder zijn vraag weet ik wat mijn opdracht is. En hij weet dat ik het weet. Terwijl hij zijn horloge aandoet kijken we elkaar star in de ogen. Ik sla mijn ogen niet neer. Al weet ik dat hij gewonnen heeft, toch sla ik mijn ogen niet neer. Niemand zegt een woord. Als ik de deur uitstap zijn er hooguit tien minuten van het voorgeschreven halfuur verstreken.

Eén ding waarover ik weiger na te denken. Eén ding waarover ik weiger te piekeren in het tweepersoonsbed in de nacht. Het lichaam van mijn zus. Niet het lichaam van het kind, maar het lichaam van de adolescent. Het lichaam met de borsten, de tepels, het schaamhaar, het okselhaar, de vetplooien. Het lichaam met de ranzige geur. Niet van zweet. Niet van plas of poep. De geur van hormonale afscheidingen. Een lijfgeur. Haar lijfgeur. En verder geluiden. Hijgend. Snokkend. Zuigend. Angst dat er iets mis was met dat lichaam. Dat het ziek was. Kolkende geluiden waarvan ik de oorsprong niet kende. Het lichaam van mijn zus. Voor elk zintuig had het iets te bieden. 's Nachts, in de nacht, in het bed in de kamer met het behang.

's Avonds ga ik de kinderen toedekken. De twee jongste zijn bij elkaar in bed gekropen. Wang tegen wang, een arm over een lijfje, verstrengeling van haar. Voorzichtig maak ik het ene kind los uit het lichaam van het andere en draag het naar zijn eigen bed. Daarna begin ik te schrijven. Ik schrijf tot het schriftje vol is. Ik schrijf tot een stuk in de nacht. Flarden herinneringen dringen zich aan mij op. Vreemd hoe alles terugkomt als je éénmaal begint. Dingen die ik vergeten waande staan plots zwart op wit op het blad.

Samen met Helen door het gat in de haag kruipen, de tuin van de buren in. Sluipen naar het konijnehok. Gras door het gaas naar binnen schuiven. Een wit konijntje komt knabbelen. Spierwit is het.

'Een albino,' fluistert Helen en begint te frutselen aan de ijzerdraad waarmee het hok wordt dichtgehouden. 'Let op de ogen.'

Haar hand gaat het hok in en sluit zich om het witte lijfje dat de lucht wordt ingetild, het hok uit.

'Het beeft,' zeg ik.

Helen houdt het dier tegen haar wang.

'Neem er ook ééntje,' zegt ze.

De konijntjes houden zich schuil in een hoek van het hok.

'Er zitten vast nog albino's tussen,' zegt ze.

Maar ik kijk liever hoe Helens hand glijdt over de vacht van het konijn dat rilt en trilt. Dat niet aan haar liefkozing went.

'Waarom ben je zo bang, mijn liefje?' fluistert ze in zijn oor. 'Zal ik je buik strelen? Zou je dat liever hebben? Of wil je terug bij je vriendjes? Zit je liever in dat donkere hok dan hier bij mij?'

En dan is er plots de buurman die naast Helen hurkt en zegt, 'Ik zie dat mijn buurmeisjes van konijntjes houden.'

En nu glijdt ook de hand van de buurman over de vacht van het dier.

'Het is een wijfje,' zegt hij, 'daarom wordt het zo graag gestreeld. Houdt uw zus niet van konijntjes?'

'Neen,' zegt Helen. 'Mijn zus houdt niet van konijntjes. En u? Houdt u van konijntjes?'

'Oh ja,' zegt de buurman, 'ik hou heel veel van konijntjes. Ik hou van alles wat jong en zacht is.'

Hun stemmen klinken hol en ver. Of ik er niet bij ben. Of er een scherm opgetrokken is tussen hen en mij. Een scherm waar ik doorheen kan kijken en luisteren maar zij niet.

'Dan houdt u niet van uzelf,' hoor ik Helen zeggen.

En de lach van de buurman die zegt,

'Schijn bedriegt.'

Bloed bonst in mijn slapen. Daarna ook in mijn polsen. In mijn borstkas. In mijn buik. Tussen mijn benen. Twee handen op de albinovacht. De meisjeshand. De mannenhand. En mijn zus die de buurman vragend aankijkt. En de buurman die blijft naar de handen kijken. Hij gaat haar zoenen, denk ik, nu meteen gaat zijn hand van de vacht van het konijn naar het haar van het meisje. Helen wil dat hij haar zoent. Dat hij haar streelt. Maar de man staat op en zegt alleen,

'Jullie meisjes mogen zo vaak komen als je wil. Maar vergeet niet het hok achteraf weer te sluiten.'

Ik kan nauwelijks op mijn benen staan. Helen moet me een hand geven of ik zou het gat in de haag nooit bereiken.

Een maand lang wacht ik af. Het schriftje heb ik weggeborgen in een lade. Ik bak taarten, naai kleren voor de kinderen, verf de ramen. Ik vraag me af of de psychiater ook wacht. Misschien heeft hij mijn dossier geklasseerd. Verwacht hij geen nieuws meer van me.

Maar ik denk dat hij wacht. Ik denk dat hij weet dat weldra nieuwe stukken aan het dossier zullen worden toegevoegd. Maar eerst herschik ik de kamers van de kinderen. Ik verschuif hun bedden, stik nieuwe gordijnen, koop andere spreien, behang de muren. De tweede die altijd met de jongste een kamer gedeeld heeft, krijgt de kamer van de oudste en de oudste moet nu delen met de jongste. 'En over een jaar of drie,' zeg ik tegen de jongste, 'ben jij aan de beurt en krijg jij voor een poosje een kamer voor jou alleen.' Dan stuur ik het schriftje op. Een week later zit zijn brief in de bus. Hij is me vooral dankbaar om het vertrouwen dat ik in hem heb gesteld. Om het werk dat ik geleverd heb. Om de inspanning. 'U hebt een eerste stap gezet in de goede richting,' schrijft hij. 'Dit is een begin. Het is te vroeg om nu al besluiten te formuleren.' Maar in een P.S. schrijft hij dat ik wellicht geneigd ben om me met de rol van toeschouwer te identificeren. 'De eerste sexuele ervaring is bepalend voor later sexueel gedrag. Uit wat u schrijft over de tuin van uw buurman maak ik op dat u zich passief gedraagt in het sexuele spel. U bent daartoe als het ware geconditioneerd. Maar conditionering is er om overwonnen te worden. Verdere gesprekken zullen uitmaken welke therapie het meest geschikt is in uw geval.'

Dirk had me gewaarschuwd.

'Voor je het weet zit die man bij ons in bed.'

Na die brief volgt er een korte aanmaning om een afspraak te maken. Verder niets. Zelf stuur ik af en toe een schets of een tekst wanneer herinneringen me halsstarrig plagen. Mijn dossier groeit gestadig aan. Al zal ik er nooit inzage van hebben, toch weet ik dat er regelmatig documenten worden bijgevoegd. Gisteren nog heb ik een schets opgestuurd van de slaapkamer.

De kleerkast, het poppenhuis, de plaatjes aan de muur, het bed met de blauwe dekens bij het raam, het bed met de rode dekens bij de muur. Ik heb er een gedetailleerde beschrijving van het behangpapier aan toegevoegd. Eendjes op een vijver. Kikkers in een sloot. De slaapkamermuur kan ik nu weer voelen. Hard en koud maar veilig. Me ertegenaan drukken wanneer Helen bij me in bed kroop. Haar lichaam vlak bij het mijne. Tegen het mijne. Daarna haar lijfgeur in mijn lakens. Nacht na nacht tot de lakens verschoond werden. Zwart, krullend schaamhaar in mijn bed. Ik sluit mijn ogen en ben weer in de slaapkamer van mijn jeugd. 's Nachts in het tweepersoonsbed mijn ogen openhouden om niet terug te keren naar het bed tegen de muur. Toenadering zoeken tot Dirk, maar hij weet met mijn gebaar geen blijf. Rollen worden niet in één nacht herschreven. De conditonering is wederzijds.

Nog één keer ben ik naar het ziekenhuis teruggekeerd, de spreekkamers van de psychiaters voorbij, recht naar de afdeling van mijn zus. Niemand hield me tegen. Niemand vroeg me hoe ik heette. Bij de kamer van Helen aarzelde ik. Ik klopte aan maar kreeg geen antwoord. Ik probeerde de klink, de deur was op slot. Tenslotte plaatste ik een stoel voor de deur en keek door het bovenlicht naar binnen. Helen lag uitgestrekt op bed. Haar ogen waren gesloten. Ze droeg een lichtblauw nachthemd. Haar armen rustten langs haar lichaam. Ik had de verpleging kunnen vragen de deur voor me open te maken. Ik had het slot kunnen forceren. Ik had Helen wakker kunnen schudden en haar dwingen naar mijn herinneringen te luisteren. Angst weerhield me. Ik was bang om te vernemen wat zij zich herinnerde. Ik had de moed niet om met haar geheugen geconfronteerd te worden. Twee aparte gevallen, had de psychiater gezegd. Twee afzonderlijke dossiers. Alleen toevallig dezelfde achternaam. Toevallig dezelfde slaapkamer. Toevallig hetzelfde huis. Dezelfde ouders. Dezelfde genen.

De dagen duren lang. Ik heb een stel blauwe kleren gekocht maar ze liggen ongedragen in de kast. Soms overweeg ik om een dagboek voor de kinderen bij te houden. Met schetsen van het huis en de kamers. Beschrijvingen van hun kleren. Verslagen van hun activiteiten. Maar het besef dat ik hun herinneringen niet kan schrijven weerhoudt me. Ik kan geen hand hebben in hun geheugen.

Zondagen zijn het moeilijkst. Dirk gaat naar het voetbal, de kinderen naar de jeugdbeweging, het huis is leeg. Herinneringen komen in drommen op me af. Vaak ga ik wandelen met de hond maar in plaats van het veld zie ik het decor van mijn jeugd. Ik heb nooit met een woord gerept over mijn hond tegen de psychiater. Ze is al twee keer loops geweest en telkens heb ik haar angstvallig binnengehouden. Reuen komen janken aan het poortje maar ik laat hen niet binnen. Ik heb geen zin om er getuige van te zijn hoe zij haar bespringen.

5 Broertje, zusje

Ik zie haar en herinner het me meteen. We lopen uit tegenovergestelde richtingen op dezelfde glazen klapdeur toe, de middelste van de drie, die zowel ingang als uitgang is. Voor de automatische deuren links en rechts van ons filevorming van winkelwagentjes. Het is zaterdagochtend. Op haar arm een witblond kind van een jaar of twee; in mijn tas pampers en babyolie – mijn jongste heeft de hele week 's nachts in haar bed geplast, vervelend maar niet zorgwekkend. Ze is nog geen vier. Met seconden tussentijd leggen we een hand op het glas, palm tegen palm. Eerst is er ergernis, dan herkenning. 'Goedele?'

Zij was veertien, een padvindster op een zomerkamp; ik was haar leidster, vier jaar ouder dan zij, een eeuwigheid als je nog geen twintig bent. Er werd met haar voorzichtig omgesprongen. Zij was Goedele, de zus van David, een aardige, intelligente en sportieve jongen die de Kerstmis voordien plots gestorven was. Hij was zo oud als ik, leider bij de padvinders net als ik, lag op een ochtend dood in zijn bed. Ooit hadden we op een feestje de hele avond samen gedanst. Hij danste niet echt goed – te energiek, te bruusk – maar wou dat ik het hem leerde.

'Jij hebt spieren om te lopen,' zei ik, 'niet om te dansen.'

Keiharde armen, buik en dijen.

'Sla er maar op,' zei hij, 'ze geven geen krimp.'

De autopsie toonde aan dat hij de doodsoorzaak

sinds zijn geboorte in zijn hersenen had meegedragen – een obscure, zeldzame afwijking, niet erfelijk. Hij had de wekker op zes uur gezet, wou de leerstof waarover hij geëxamineerd zou worden nog een laatste keer doornemen, een totaal overbodige revisie – hij was een briljante leerling die vaak een beter inzicht had dan zijn leraars zelf. De wekker rinkelde en rinkelde, zijn jongere broer werd wakker, riep: 'David, verdomme, ben je doof,' stond op, zette hem af, kroop opnieuw in bed. Om halfacht kwam hun moeder de kamer binnen, gaf haar oudste een tik op de wang, voelde het koude, strakke vlees. Het hele dorp woonde de begrafenis bij. Vooraan de familie, dan de padvinders en padvindsters, dan de jongens van zijn klas. Rechts van het altaar een hoge kerstboom met aan de voet ervan een stalletje. De pastoor kon het niet helpen dat het bijna Kerstmis was. De lichtjes brandden niet maar de versiering fonkelde in het kaarslicht. Zes padvinders droegen de kist naar binnen, het orgel speelde de dodenmars, er werd veel gehuild. Ik zat bij de leiding in de vijfde rij, mijn moeder zat achteraan maar ik verbeeldde me dat ik haar hoorde snotteren. In de kerstnacht werd tijdens de middernachtviering zijn begrafenis overgedaan. 'Laten we bidden voor David, plots uit ons midden weggerukt... Moge de Heer in Zijn Opperste Goedheid,... Moge de Heer wiens wegen ondoorgrondelijk zijn,... nu en in het uur van onze dood... Heer, erbarm u over ons.' Een nieuw jaar zou aanbreken, het zou Pasen worden, Hemelvaartsdag en Pinksteren. Die zomer nam ik afscheid van de padvinderij en ging voor de laatste keer mee op kamp. Ik wou andere dingen gaan doen. Twaalf, dertien jaar later laten zijn zus en ik gelijktijdig het glas aan weerszijden los, lopen enkele passen achteruit om de ander door te laten, herkennen elkaar. Ik glimlach, duw de deur open, zeg haar naam, haar onmogelijke, schonkige boerendochtersnaam, 'Goedele.'

Het was op een trage, warme zomerdag, halverwege mijn laatste kamp. Ik stond bij de foeragetent, een bruine legertent van grof canvas, dat de hitte absorbeerde. Goedele kwam naar me toe en vroeg – zonder enige inleiding – of ik haar kon uitleggen hoe ze een tampon moest inbrengen.

'Maandverband is zo onhandig hier op kamp.'

Ze vroeg het met harde, blauwe ogen, ogen die ze niet neersloeg.

Ik bloosde.

'Heb je een tampon bij je?'

'Ja, maar ik krijg 'm er niet in.'

Ze was de adolescent die ik nooit geweest was – een troebele blik achter lang, sluik haar; een haarlok waarachter ze zich meestal verschool. 'Doe dat haar uit je ogen, Goedele. Bind het samen.' Als ze het wegstreek, keek ze met boze ogen zodat niemand lang haar blik verdroeg. We dachten haar stille woede te begrijpen. Ze was Goedele, de zus van David die we vlak voor Kerstmis hadden begraven. Ze had op de eerste rij plaatsgenomen, de rij die gereserveerd was voor de naaste familie.

'Je moet je ene been opheffen, steun met je voet op een boomstam, buig zachtjes door je benen, knieën naar buiten gekeerd. Niet naar boven steken maar schuin naar achteren. Dan moet het lukken.'

Hetzelfde opgeheven, strakke gezicht als waarmee ze achter de kist had gelopen. Staalblauwe ogen.

'Ik zal het proberen.'

De mannen in de begrafenisstoet – de vader, de tweede zoon die nu de oudste was, en de benjamin van de familie, een jongen van vijf met blonde krullen –

74

lieten hun tranen de vrije loop, maar de vrouwen – de moeder en haar twee dochters – keken star voor zich uit, weg van de massa die jammerde en huilde. Ze waren ongesluierd. Ze hadden geen tranen te verbergen.

Na mijn uitleg bij de foeragetent verdween ze in de richting van de HUDO, een zelfgemaakte wc – enkele balken aan elkaar gesjord boven een kuil. Ik wachtte.

'Het lukt nog altijd niet,' zei ze.

Haar ogen hard en koud en boos.

'Misschien ben je te nauw,' zei ik. 'Hoe oud ben je?'

'Veertien.'

'Je herinnert je mijn naam,' zegt ze en glimlacht.

'Een naam als Goedele vergeet je niet gauw. Hoe heet je dochtertje?'

'Zoontje. David.'

'Zoals je broer.'

'Zoals mijn broer.'

'Hoe is het met je moeder?'

'Goed, goed.'

We zetten enkele stappen opzij om andere mensen door te laten.

'Ik herkende je meteen.'

'Zo lang geleden,' zegt ze. 'Heb jij kinderen?'

'Ja, een jongen en een meisje. Goedele, heb je tijd voor een kop koffie?'

Ze aarzelt. Haar gezicht wordt strak en hard, haar ogen koud.

'Of misschien een andere keer.'

'Ja,' zegt ze, 'misschien een andere keer.'

'Dat zijn geen mensen,' had mijn moeder gezegd, 'dat zijn beelden. Als mijn kind...'

Ze had zoals alle moeders de hele dienst uitbundig gehuild. Haar gezicht was rood en gezwollen. Ze zag er vreselijk uit. Ze had het ooit nog eens meegemaakt, jaren geleden, voor ik geboren was, maar toen was de moeder thuisgebleven en een zus was in zwijm gevallen. Ze hadden haar de kerk uitgedragen. 'Ik zou het besterven,' zei ze. 'Ze zouden mij ook in de kist mogen leggen. Kindje, kindje, zorg goed voor jezelf. Je voelt je toch goed? Studeer niet te hard.' Ze omhelsde en zoende me, telkens opnieuw. Zelfmedelijden, had ik gedacht, niets dan zelfmedelijden. Daarom huilden al die moeders. Wat als het in hun gezin gebeurde? Wat als het hun overkwam? Ik was bijna achttien, zat in de hoogste klas, zou in de herfst naar de universiteit gaan, ik had geen tijd voor verdriet. Ik maakte me van mijn moeder los en ging op mijn kamer studeren. Ik wou goede resultaten behalen.

'Ik heb een vrouw gezien die ik gekend heb vroeger, jaren en jaren geleden.'

'Ken ik haar?' vraagt mijn man.

'Nee, ze is iemand van vroeger, van het dorp waar ik toen woonde. We waren samen in de padvinderij.'

Als ik 's avonds in de slaapkamer voor de spiegel mijn haar zit te drogen, denk ik aan de begrafenisstoet en aan de roerloze vrouwen in het zwart. Stille woede, denk ik. Witte woede. 'Heb je zin om uit te gaan?' roep ik door de open deur, maar Thijs staat onder de douche en hoort me niet. Wat later komt hij de kamer binnen met een handdoek om zijn heupen. Zijn lijf dampt, zijn huid is roze. 'Laten we uitgaan vanavond,' zeg ik, maar hij zoent mijn hals, streelt mijn tepels en zegt: 'Ik heb een beter idee.'

Twee jaar later zijn Goedele en ik vriendinnen en lachen we om de meisjes die we waren, de meisjes in hun padvindersuniform, alsof ze in een ander tijdperk leefden en op een andere planeet rondliepen. Onmogelijk om ze met elkaar te rijmen, de charmante, modieuze vrouw en het meisje met het sluike haar en de troebele blik. Ik vraag het haar ook nooit – herinner je je nog, toen op kamp, bij de foeragetent? Ze gebruikt tampons nu, hetzelfde merk als ik; ik heb er haar ooit eentje gevraagd toen ik bij haar was en niets bij me had. 'In de badkamer,' zei ze, 'in het kastje boven de wastafel.' Op een volstrekt achteloze toon. Een ander meisje, een andere vrouw. Ze herinnert het zich niet.

Toen we elkaar voor een tweede keer tegenkwamen, stelde zij voor om samen een kop koffie te gaan drinken. Het was Davids eerste schooldag en ik zag haar staan met het huilende kind.

'Sarah zal voor hem zorgen,' zei ik. 'Kijk goed naar dit jongetje, Sarah. Geef hem een handje. Beloof me dat je voor hem zorgt tijdens de speeltijd.'

'Hoe oud is je dochtertje?'

'Vijf. Haar broer loopt hier ook ergens rond. Die heeft een jaar lang iedere ochtend aan deze schoolpoort gehuild. Ik voelde me zo schuldig, maar de juf zei dat hij ophield zodra ik mijn rug had gekeerd. Je zal zien, met David gaat het precies zo.'

'David is nog nooit van mij weggeweest.'

'Heb jij geen baan?'

'Tot nu toe niet. Ik begin volgende week. Zijn vader vindt dat hij het moet aankunnen.'

'Hoe oud is David?'

'Drie. Drie jaar en twee maanden.'

Ze zoende haar zoontje. Er stonden tranen in haar ogen.

'Tijd voor koffie?' vroeg ze.

'Heel even dan, ik moet naar mijn werk.'

Ze nam me mee naar haar huis, zette koffie, vertelde over David.

'Er zou een tweede moeten komen. David wordt te veel verwend.'

Ik verwachtte elk ogenblik haar ogen te zien verstarren zoals die keer in de supermarkt, maar er gebeurde niets. Ik praatte opgewekter dan ik anders gedaan zou hebben en was nadrukkelijk vriendelijk. Ik hoorde mezelf een afspraak maken voor een volgende keer.

'Bij jou thuis of bij mij?'

'Kom jij maar naar hier.'

Ze zag er hulpeloos uit.

'Maak je geen zorgen,' zei ik. 'David past zich heus wel aan. Het is een goede school.'

Enkele weken later organiseerden we een beurtrol om de kinderen naar school te brengen en af te halen. Soms deden we boodschappen voor elkaar. Als David ziek was kon hij bij mij terecht – ik kreeg makkelijker vrij dan zij – en als ik op zaterdag met Thijs de stad in wou, zetten we de kinderen bij haar af. Ik prees mezelf gelukkig iemand ontmoet te hebben op wie ik zo kon rekenen. We ontdekten dat onze mannen allebei voetbalfanaten waren en er werden avondjes georganiseerd voor de twee stellen. De mannen bekeken op video de hoogtepunten van de wedstrijden van de voorbije weken, de vrouwen kletsten in de keuken, de kinderen sliepen samen in een kamer. Niet nodig om hen in het midden van de nacht wakker te maken, de volgende ochtend of middag – zoals het het best uitkwam – werden ze weer naar hun eigen huis gebracht. Ik vroeg Goedele hoe haar broers en zussen het maakten.

'Goed,' zei ze. 'Erg goed. Allemaal getrouwd en werk en kinderen, behalve onze Paul.'

'Zien jullie elkaar vaak?'

'Ja, regelmatig.'

Maar ik zag nooit iemand van de familie in haar

huis, al liep ik er op alle uren van de dag binnen en buiten. Haar moeder stond er blijkbaar op dat de kinderen naar haar kwamen.

Als David er zijn eerste schooljaar op heeft zitten gaan de twee gezinnen samen kamperen. De afspraak is dat iedereen vrij is om al dan niet aan gemeenschappelijke activiteiten deel te nemen, maar er gaat geen dag voorbij of we trekken met elkaar op. Tot laat in de nacht wordt er gekaart, gedronken, gepraat; 's morgens sturen Jan en Goedele David naar onze tent. Hij is vier geworden en heeft nog altijd geen broertje of zusje. David is Sarahs pop. Ze wast hem, kleedt hem aan en uit, geeft hem eten. Wanneer we thuiskomen beschouw ik Goedele als mijn beste vriendin.

'Wat vind je van Goedele?' vraag ik voor de zoveelste keer.

'Aardig, charmant.'

Het eeuwige, veilige antwoord. Thijs kan het beter vinden met Jan, vermijdt situaties waarin hij alleen is met Goedele. Vrouwen bij vrouwen. Mannen bij mannen. Je hoeft het niet te zoeken. Niet met vuur spelen. Ik kan me niet voorstellen dat Jan Goedele aanvoelt – hij heeft iets logs en lomps – maar ze lijken gelukkig samen, net als wij. Jan en Goedele; Thijs en Griet. Hetzelfde soort wagen, hetzelfde soort huis, hetzelfde soort baan. Vergelijkbare inkomens, een onbeduidend leeftijdsverschil – wat is vier jaar als je rond de dertig bent – één kind in plaats van twee. Thijs is blij met de vriendschap, voelt er zich door bevestigd. Als Goedele voor de tweede keer zwanger wordt, is de spiegel bijna volmaakt. We laten bloemen bezorgen en drinken samen champagne.

'Op de baby.'

'Op de baby.'

79

'En op ons.'

Er worden plannen voor de volgende zomer gemaakt. Neen, kamperen zit er niet in, maar misschien een huisje aan zee of in de bergen, met een badkamer en een terras, ergens waar het rustig is voor de baby. Zes weken later is Goedele een kilo afgevallen. Ze lijkt kleiner, ziet er jonger uit, kwetsbaar, als een meisje van veertien. Ze eet maar kan geen voedsel binnenhouden. Jan maakt voor haar een quiche, ze neemt enkele happen, geeft een half uur later over. Ik bak voor haar een zeetong, dien hem op met broccoli en citroen, ze doet haar best maar wat later staat ze te kotsen boven de wc. 'Laat me met rust. Alsjeblieft, laat me met rust.' Ze gaat voor een week naar haar moeder, drinkt er bouillon, houdt het binnen. Ze komt terug met vijf liter bouillon in een tupperware. Jan vraagt of David bij ons mag logeren. 'Het kind maakt haar zenuwachtig,' zegt hij. 'Vroeger kon ze geen dag zonder hem maar nu snauwt ze hem af. Ik begrijp het niet. Ze heeft zo naar deze zwangerschap verlangd. We hebben zo lang moeten wachten.'

'Ze kan het niet helpen dat haar lichaam voedsel weigert,' zegt Thijs.

'De gynaecoloog heeft gezegd dat we misschien een abortus moeten overwegen. De baby hongert haar uit.'

'Hoe ver is ze nu?'

'Zestien weken.'

'Ze ziet er niet slecht uit.'

'Dat is waar,' zegt hij, 'ik heb haar nog nooit zo jong en frêle gezien.'

Stilte.

'Heeft ze je verteld dat we niet meer samen slapen? Ze slaapt bij David op de kamer, op een oude versleten bank. Liever dat dan bij mij in bed.'

Stilte.

'Ze wil er niet over praten. Zodra ik erover begin gaat ze de kamer uit.'

We waren twee gelukkige, symmetrische paren. Goedele heeft de spiegel gebroken.

'Het komt in orde,' zegt Thijs. 'Je moet vertrouwen hebben. Dat van die abortus is onzin.'

Zeventien weken, achttien weken, negentien weken. De foetus groeit, neemt van zijn moeder het voedsel dat hij nodig heeft. Goedele komt niet bij maar vermagert niet meer. Haar moeder brengt om de andere dag een tupperware met bouillon. Twintig weken – de valreep voor een abortus. Ik breng haar naar het ziekenhuis voor een echografie. We zien het hartje, de lever, het middenrif, de maag.

'Ik denk dat het een jongetje is,' zegt de gynaecoloog.

'Twee zoontjes,' zeg ik.

'Bent u daar zeker van?' vraagt Goedele.

'Echt zeker niet, maar wel voor tachtig procent. Het merkwaardige is dat de foetus niet opvallend klein is voor zijn leeftijd. Hoe zit het met de eetlust?'

'Beter,' zegt Goedele en het is waar, het ergste lijkt achter de rug. Ze eet stukjes kip, schijfjes meloen.

Zevenentwintig weken en ze kan niet meer in haar kleren. Jan koopt voor haar in de duurste winkel van de stad een prachtige zwangerschapsjurk van rood fluweel, maar ze blijft er klein en jong uitzien – een kindvrouwtje met grote ogen in een smal en bleek gezicht. Ze laat haar haar weer loshangen, net als vroeger. Naar haar zoontje kijkt ze niet om.

Dertig weken en Jan vraagt of ik Goedele een tijdje kan meenemen naar zee. 'Al was het maar voor enkele dagen,' zegt hij. Het valt hem zwaar om het huis met haar te delen. 'Het ergste is dat ik bijna opgelucht ben dat ze mij ontloopt. Ik kan haar blik moeilijk verdragen.'

'En de kinderen dan?'

'Daar zorgen Thijs en ik wel voor.'

'Ja,' zegt Thijs, 'Jan kan net als David hier komen wonen.'

Wat kan ik zeggen. Alles is geregeld.

'De zeelucht zal haar deugd doen,' zegt Thijs.

'Jij kent haar zo goed,' zegt Jan. 'Jij bent haar beste vriendin. Jou vertrouwt ze.'

Jan noch Thijs laat een uitweg voor me open. Ik kan onmogelijk weigeren, al voel ik me ongemakkelijk in haar stille, roerloze aanwezigheid.

'Ik zal proberen iets te regelen,' zeg ik, hen eraan herinnerend dat ik ook verplichtingen heb, dat ik me niet zomaar kan vrijmaken, maar drie dagen later ga ik mijn vriendin ophalen. Jan staat met zijn pakken klaar om in mijn huis in te trekken. Hij heeft de kinderen beloofd pannekoeken te bakken. 'Nu hebben ze twee papa's,' zeg ik. Het is niet aardig bedoeld.

'Heeft hij je geld gegeven om me mee te nemen?' Even hoop ik dat ze me met ironisch lachende ogen zal aankijken zoals ze vroeger wel deed wanneer we het over 'de mannen' hadden, maar ik hoef me geen illusies te maken.

'Je bent moe,' zeg ik. 'Je moet rusten.'

'En eten. Eten en rusten. Rusten en eten. Dan wordt het een flinke baby. Eten en rusten. Rusten en eten.'

's Nachts blijft ze opzitten tot vier, vijf uur. Ik kook voor haar, probeer haar te doen eten – een hapje voor mama, een hapje voor papa. We maken een korte wandeling op het strand en rond tien uur stop ik haar in bed, maar zodra ik zelf naar mijn kamer ben gegaan

hoor ik de deur van haar kamer, dan die van de woonkamer. Ik sta op, ga bij haar zitten, probeer met haar te
praten, druk haar op het hart te rusten.

'Ik kom wel,' zegt ze. 'Nog even.'

Ik ga terug naar mijn kamer, val in slaap voor ik haar
hoor in de gang. Nog negen weken. Misschien acht,
misschien tien.

Op een nacht blijf ik met haar opzitten en zet tegen
alle voorschriften wijn op tafel.

'Ik heb het niet nodig,' zegt ze.

'Ik wel.'

Ik drink glas na glas, zeg haar niet dat ze moet gaan
slapen, zwijg.

'Kom naast me zitten,' zegt ze.

Ik ga naast haar zitten.

'Voel.'

Ze legt mijn hand op haar buik. Meteen wordt er
tegen mijn hand geschopt.

'Je kan het ook duidelijk zien,' zegt ze en schort
haar nachtpon op. 'Soms kan ik zijn voetje grijpen.'

'Is dat 't wat je wakker houdt?'

'Nee.'

'Woelde David ook zo?'

'Nee.'

'Misschien heb je daarom zo'n moeite om je eten
binnen te houden. Volgens mij drukt hij op je maag.'

'Misschien.'

'Heb je er met de gynaecoloog over gepraat?'

'Ja, het is volkomen normaal. Niets aan de hand.'

We kijken naar haar buik die geen ogenblik dezelfde
vorm heeft.

'Griet.'

'Ja.'

'Weet je nog die keer op kamp bij de foeragetent. Ik
vroeg je hoe je een tampon moest inbrengen.'

'Ja, dat weet ik nog.'

'David was toen al dood.'

'Ja.'

Ik kijk naar haar gezicht, verwacht tranen, maar haar ogen en wangen zijn droog.

'Je zei dat ik te nauw was.'

'Ja.'

'Denk je dat ik nu nog te nauw ben?'

'Kom, je moet gaan slapen. Je moet aan de baby denken.' We blijven zitten. Haar nachtpon is nog altijd omhoog geschort. In haar buik gaat de baby tekeer.

'Dat wordt een woelwater,' probeer ik opgewekt. Ze trekt de stof over haar buik.

'Drink nog een glas,' zegt ze.

Ik schenk nog een glas in.

'David en ik,' zegt ze, 'mijn broer David en ik hebben het ooit geprobeerd.'

Ik reik naar mijn glas, neem een slok.

'Het was op mijn slaapkamer. David en ik waren alleen thuis. De anderen waren allemaal schoenen gaan kopen. Mijn moeder had iets opgevangen over een uitverkoop. Ik weet niet waarom wij geen paar kregen. De privacy was ongewoon.'

'Ik ga een deken voor je halen. Je rilt.'

'Blijf hier. Ik probeer je iets te vertellen. Het was op een zaterdagmiddag. We waren alleen thuis, de anderen waren schoenen gaan kopen. David kwam mijn kamer binnen en begon over jou te vertellen. Hij zei dat hij met jou gedanst had op een feestje in de garage van vrienden. Hij zei dat hij jou gezoend had. Al dansend had hij zijn handen naar boven, naar je borsten laten glijden. Hij had eerst je hals gezoend, toen je wangen, je lippen.'

David en ik, gezoend? We hebben gedanst, ja, de

hele avond lang, maar gezoend? Misschien naar het einde van het feestje toe, toen we een beetje dronken waren en moe. 'Sla maar,' had hij gezegd, 'ik geef geen krimp.'

'Hij zei dat hij er zeker van was dat hij verder had kunnen gaan, dat er veel paartjes op de grond lagen te vrijen, maar dat hij niet wist hoe hij verder moest.'

Veel paartjes? Er was een meisje in die tijd – Lena heette ze – van wie gezegd werd dat ze ver ging, heel ver, tot het einde, met iedereen die wou. En haar vriendin – Corina – die ook. Maar ze deden het niet op de grond, ze namen de jongens mee naar een veilige plek. Zeker op dat feestje in de garage, daar zouden ze zeker naar de slaapkamers zijn gegaan. Daaraan had David dus gedacht terwijl zij hem leerde dansen.

'We zaten naast elkaar op mijn bed. Hij vertelde over jou en het feestje. Ik ging liggen. Hij ook. Hij zei dat hij niet wist hoe je eraan moest beginnen met een meisje. Ik heb toen het eerste gebaar gemaakt.'

Stilte.

'Ik was te nauw,' zegt ze. 'Hij kon er niet in. Of we waren te onhandig.'

Ik vul mijn glas opnieuw. Ik spreek.

'Ik kan me niet herinneren dat David en ik gezoend hebben. Ik zeg niet dat het niet waar is, ik zeg alleen dat ik het mij niet herinner.'

'Op de begrafenis huilde jij niet.'

'Jij ook niet.'

'Natuurlijk huilde ik niet. Iedereen verwachtte dat ik zou huilen. Iedereen bespiedde ons. Jij had rustig kunnen huilen. Jij bent het enige meisje dat hij ooit gezoend heeft. Mij heeft hij nooit gezoend. Toch niet op die manier.'

'Ik geloof dat het niet tot mij doordrong dat David dood was. Of wat dat betekende.'

'Misschien ben jij het soort mens dat niets tot zich laat doordringen.'

Oké, denk ik, wees maar boos, misschien doet dat je deugd.

'Wat ik daarnet verteld heb, is ook niet tot je doorgedrongen.'

'Wat kan ik zeggen, Goedele. Jij vertelt me iets. Ik luister.'

'Ik haatte je. Na zijn dood haatte ik je. Ik genoot ervan in je buurt te zijn en te voelen hoe intens mijn haat voor jou wel was. Ik dacht: Zij is het enige meisje dat David ooit heeft gezoend.'

'Misschien zou je moeten huilen.'

'Toen ik je terugzag, jaren later, kon ik je niet meer haten. Ik vond je aardig. Je man is halfzacht, maar jij bent aardig. En in feite is je man ook aardig.'

Ik sta op, haal een deken, leg hem over ons beiden – knus, gezellig, veilig.

'Ik heb ooit een broer en een zus gekend,' zeg ik. 'Hij heette Maurits en zij heette Maria. Maurits en Maria. Hij werkte als uitsmijter in een nachtclub waar zijn zus iedere avond optrad samen met haar partner, een grote, zwarte jongen. Ze neukten in een net dat boven het publiek was gespannen, of juister, ze deden alsof. "Fake," zei Maria. "Allemaal fake." Het was in Amsterdam. Iedereen gebruikte Engelse woorden en uitdrukkingen. Op een dag stelde de baas van de club aan Maurits voor om zijn plaats buiten op het trottoir te verlaten om – bij wijze van eindejaarsattractie – samen met zijn zus een optreden te verzorgen. De baas bood grof geld. Hij was ervan overtuigd dat veel mensen op dit pikante nummertje zouden afkomen.'

'En toen?'

'Maurits zag het wel zitten. Hij vertelde het aan tafel. "Geinig," zei hij. "Gewoon geinig." Niemand gaf commentaar. Het was niet de bon ton elkaars gedrag te beoordelen. "Trouwens," zei Maurits, "het is allemaal fake." "Fake," herhaalde Maria die naast hem aan tafel zat, "allemaal fake." Ik vroeg me af hoe het gefaked werd, een piemel in een kut, maar hield mijn mond. Misschien was de zaal waar ze optraden niet goed verlicht.'

'En? Hebben ze het gedaan?'

'Ik weet het niet. Maurits' vriendin heeft al het huisraad door het raam gekegeld toen ze van het plan hoorde. Ze dreigde ermee haar haar af te knippen als hij met zijn zus optrad. Ze had lange zwarte krullen waarop hij geilde.'

'En?'

'Ik weet het niet. Ik heb het nooit gevraagd. Het interesseerde me niet. Wat maakte het uit of ze het deden of niet. Ze hadden het overwogen. Kort nadien ben ik naar een ander huis verhuisd. Een jaar of wat later heb ik Maurits en zijn vriendin op straat gezien. Ze liepen achter een kinderwagen. Haar haar was kort.'

'Waarom vertel je me dit?'

'Ik weet het niet. Zomaar.'

'Jij begrijpt niets. Helemaal niets. Jij denkt dat ik jou een verhaaltje verteld heb. Een anekdote. Jij weet niet wat pijn is. Jij hebt nog nooit gehuild in je leven. Niet echt.'

'Huil als je wilt huilen.'

'Ik wil niet huilen. Ik wil dat jij huilt. Ik wil jou zien huilen.'

Harde blauwe ogen. Boze ogen.

'Laten we gaan slapen,' zegt ze. 'Dit is volstrekt nutteloos.'

Ze staat op. De deken valt op de grond.

'Jouw tijd komt nog wel,' zegt ze. 'Of misschien ook niet. Sommige mensen leven maar en leven maar of het niet op kan. Dat bestaat, een leven zonder pijn en verdriet. Misschien wordt deze baby er zo eentje. Kom, het is laat.'

Ze laat de deur van haar kamer met een klap in het slot vallen. Ik denk eraan als ik in bed lig. Alle mensen die ik ken leven nog. Mijn grootvaders zijn gestorven, maar dat is gebeurd toen ik te jong was om het te beseffen. Ik ben drieëndertig en heb twee grootmoeders, een vader en een moeder, zussen, vrienden, collega's. Ik heb geen doden. Behalve David. David is de enige dode die ik heb. Maar ook nu kan ik niet om hem huilen, kan ik niet huilen om David en Goedele, Goedele en David. Wat later hoor ik Goedeles kamerdeur opengaan. Stappen in de gang die stilhouden voor mijn deur.

'Griet ben je wakker?'

'Ja.'

Ik schuif op, maak plaats voor haar. Ze schort haar pon op, neemt mijn hand. Ik verwacht dat ze hem naar haar buik zal brengen, maar ze legt hem tussen haar benen, spreidt haar benen lichtjes, drukt mijn hand met haar hand tegen zich aan.

De bruiloft was allesbehalve een vrolijke bedoening. Droevige ernst tekende de gezichten van de dorpelingen. Er was muziek, er werd gedanst, er werd gedronken, maar op niet één van deze verweerde gezichten lag ook maar de schijn van een glimlach.

De bruid draagt witte Adidasschoenen. Ze staat naast de bruidegom op het podium dat midden op het plein is opgesteld. De bruid en de bruidegom dansen niet. De bruidegom draagt de zwarte rubberen sandalen van de streek. Die sandalen worden uit oude autobanden gesneden en zijn quasi onverslijtbaar. Ze worden zowel door mannen als door vrouwen gedragen. De bruid echter draagt witte Adidas. Haar jurk reikt tot halverwege haar zware kuiten. Haar fijne witte kousen zijn op verschillende plaatsen gestopt. De jurk heeft ook betere tijden gekend. De zoom hangt achteraan los en er zitten vlekken op het lijfje. Enkel het roze lint dat om haar middel zit is nieuw. Zoals gebruikelijk is in de streek, draagt ze haar haar in twee vlechten vastgebonden op haar hoofd. Er zitten al heel wat grijze haren tussen. Haar mond hangt lichtjes open. De bruidegom draagt een vaalblauw pak waarvan de mouwen en broekspijpen te kort zijn. Zijn hoed is naar achteren geschoven. Het is een mooie hoed. Vilt, denk ik. Zijn gekromde rug en hangende schouders ten spijt, ziet hij er jonger uit dan de bruid. Hij houdt zijn mond gesloten. De kinderen van het bruidspaar mogen hier niet bij zijn. Zij wachten thuis het einde van de festiviteiten af. Thuis is één van de pakweg dertig adobehuisjes die het dorp telt. Slechts de helft van die huisjes heeft een echt dak. De andere helft moet het stellen met karton en ruw geweven matten. Op het podium van waarop het bruidspaar hun bruiloftsfeest gadeslaat, liggen de golfijzeren platen waarmee zij straks het dak van hun huis zullen bouwen. Dit is het belangrijkste huwelijksgeschenk. In de reisgids staat dat men hier vroeger overal strooien daken had, maar zo'n dak wemelt van ongedierte en vergaat. Bovendien vereist de aanleg ervan geduld en vaardigheid en het is precies die vaardigheid die snel teloor gaat. Nu golfplaten eerder regel dan uitzondering zijn, wordt de ambachtelijke kennis niet langer overgedragen van vader op zoon, van moeder op dochter. Het bruidspaar heeft verder wat pannen gekregen, een deken en ook nog drie paar rubberen sandalen. Die zijn voor de kinderen. Er wordt hier pas getrouwd nadat er kinderen zijn. Dat staat tenminste in de reisgids. Vroeger, aan het begin van de reis, zou ik Hans uitgebreid verslag hebben gedaan van dit soort weetjes waarvan het Latijnsamerikaanse handboek bol staat. Al las hij er zelf nooit in, toch luisterde hij naar wat ik te vertellen had.

Eén blik volstaat om te weten hoe laat het is. Zijn ogen staan glazig en vanuit zijn heupen vertrekt een ritmische beweging die zich door zijn hele lichaam slingert. De muziek is monotoon en herhaalt eindeloos dezelfde dreun. Het orkest bestaat uit vijf mannen in vaalblauwe pakken, vilten hoeden en rubberen sandalen. Twee van hen blazen op een bamboefluit, twee anderen slaan op een trommel en de vijfde schudt een houten rammelaar heen en weer. In dit dorp dansen enkel de vrouwen echt. De mannen staan er wat houterig bij. Ze vormen een kring rond de vrouwen en heffen beurtelings de ene knie en dan de andere. Af en toe klapt er één in zijn handen of draait een ander zich om zijn as. Een kalebas met chicha gaat van man tot man en wordt telkens weer gevuld aan het vat dat op het podium staat. Volgens het Latijnsamerikaanse handboek wordt de chicha gemaakt van maïs. Tijdens hun werk kauwen de vrouwen van het dorp de maïs langdurig en spuwen hem uit in een kommetje. Het speeksel brengt het gistingsproces op gang. Ikzelf heb nog nooit van de chicha geproefd. Chicha wordt nooit aan vrouwen aangeboden. Nu Hans bij de mannen is gaan staan ga ik onder een boom aan de rand van het plein zitten. Wanneer het Hans zijn beurt is om van de chicha te drinken, ledigt hij de kalebas in één teug en gaat ze weer vullen aan het vat. Na de vijfde keer loopt de chicha in een wit straaltje langs zijn mondhoeken. Hij maakt zich los van de kring mannen en voegt zich bij de vrouwen. De muziek stopt even maar herneemt dan haar monotone ritme. De vrouwen slaan weinig acht op de nieuwkomer. Er is geen gevaar. De mannen worden trager en lomer naarmate de chicha sneller rondgaat. Af en toe valt er eentje om als hij zijn knie heft en blijft liggen. De dorpelingen hebben Hans aanvaard. Het is enkel wachten tot iedereen uitgeput neervalt en het feest voorbij is.

Vandaag zijn we precies drie maanden onderweg. Ondanks alles streep ik nog steeds de dagen aan in mijn zakagenda. Vijf weken geleden waren we volgens plan in Ajacucho. Daarna staat er niets meer genoteerd. De dorpen die we nu aandoen hebben geen naam, of toch geen naam die ik kan uitspreken en opschrijven. Ook het Latijnsamerikaanse handboek vermeldt ze niet.
    Al vijf weken volgen we niet langer de reisroute die

ik thuis zorgvuldig had uitgestippeld. De reis was oorspronkelijk mijn idee. Mijn eerste Spaanse les zat er al op toen ik Hans voor het eerst polste. De kostenraming was opgesteld, de reisgidsen aangeschaft, een onderhuurster gezocht. Hans las hardop de namen van steden en dorpen waarlangs onze reis zou gaan. Bij Ajacucho bleef hij staan. Ajacucho. Ik legde hem cijfers, plannen en berekeningen voor en toen ik uitgepraat was, zei hij: 'Ik heb ooit in de stad een Indiaanse vrouw gezien bij de ingang van de kathedraal. Het was koud en ze was blootsvoets maar ze bedelde niet.' Dat zei hij en ik veronderstelde dat hij met dat zinnetje zijn instemming betuigde. Eénmaal onderweg bleek dat onze reisroute, die ik hoofdzakelijk met behulp van het Latijnsamerikaanse handboek had opgesteld, in grote lijnen overeenkwam met het gringopad, de weg die alle gringo's volgen. Iedereen bleek dezelfde zinnetjes Spaans te kennen, iedereen had grotendeels dezelfde plannen. Waar twee of meer gringo's samen waren was het Latijnsamerikaanse handboek in hun midden. Ervaringen werden uitgewisseld, tips genoteerd. Hans had hieraan geen deel. Hij die voor ons vertrek geen Spaans had willen leren, bracht nu uren door in het gezelschap van Indiaanse kinderen. Hij vertrok 's morgens vroeg met zijn zakken vol knikkers en begon er op straat of op een plein mee te spelen. Het duurde nooit lang of kinderen kwamen schoorvoetend aangelopen en bleven op een afstand staan kijken. Een knikker rolde hun richting uit en werd teruggerold, heen en weer, groen, geel, blauw in de zon. Kijk wat een mooie. Tegen de middag nam Hans al de kinderen mee naar de markt om te eten. Soep en maïs, wie graag gezien is krijgt een stukje kaas of wat vlees toe. Een enkele keer dreef er zelfs een hanepoot in Hans zijn soep. Hanepoot was dan ook zijn eerste woordje

Ketchua. Eten op de markt is niet voor gringo's, eten op de markt staat niet in het handboek. In de stoom van de soeppannen en de rook van de houtvuurtjes hoor je enkel Ketchua, de taal van de Indianen.

In Huancayo begon het te regenen. De bus naar Ajacucho liep telkens weer vast in de modder en de laatste kilometers moesten we te voet afleggen. Vanuit Ajacucho kon er enkel per vliegtuig verder worden gereisd. Of te voet. Het was de tijd van het jaar waarin carnaval werd gevierd. Dag en nacht trokken de Indianen in lange stoeten door de straten. Twee stappen vooruit en één achteruit gaat het al maar door op het monotone ritme van de muziek, de gezichten wit geverfd, de stemmen hees gezongen.

Op en neer, vooruit achteruit, dag na dag, straat na straat, dorp na dorp. In Ajacucho echter heerste de regen over de straten die geen straten meer waren maar beken. Een handvol Indianen hield het nog vol. Men zei dat ze al drie dagen niets gegeten hadden. Dat ze leefden van chicha en muziek. Dat ze doorgingen tot de voorgeschreven carnavalstijd verstreken was. Kort na onze aankomst in Ajacucho voegde Hans zich bij hen.

Sinds Ajacucho heeft Hans de leiding. Terwijl de gringo's die samen met ons in Ajacucho aankwamen één voor één het vliegtuig namen, wachtte ik in onze hotelkamer. Met de regelmaat van een klok hoorde ik de schorre stemmen van de dansende Indianen naderen en weer wegsterven. Ik keek al lang niet meer naar buiten. Ik wist ook zonder opkijken dat Hans erbij was.

Sinds Ajacucho trekken we te voet verder. Het gebeurt wel een enkele keer dat we een eindje met een vrachtwagen meekunnen, maar meestal gaat het te voet. De ergste regen is gelukkig voorbij. Om ons 's nachts te beschermen heeft Hans een zeil gekocht dat hij met takken en touwtjes opspant. Meestal echter overnachten we in een dorp op onze weg. Hans zorgt ervoor dat we in de late namiddag aankomen wanneer zo'n dorp er verlaten bij ligt en er hooguit wat kippen rondscharrelen. Hij gaat midden op het dorpsplein zitten en begint sigaretten te rollen. Eerst komen de kinderen. Altijd komen de kinderen eerst. Dan pas de mannen. Tegen de tijd dat de vrouwen komen kijken, zijn de mannen aan het roken en gaat de chicha van hand tot hand, van mond tot mond. De vrouwen blijven niet lang toekijken. Ze tronen me mee naar één van de adobehuisjes waar we mogen overnachten. Als ze merken dat ik niets te bieden heb, laten ze me alleen. Veel later komt Hans en de geur van chicha en roltabak. Hij maakt mijn gezicht wit met kalk. Hij vlecht mijn haar en speldt het boven op mijn hoofd vast. Hij maakt mijn borsten wit met kalk. Hij dringt bij me binnen en zegt woorden in Ketchua die ik niet versta.

Op een ochtend werd ik wakker en Hans lag niet naast me. Ik heb hem toen gevonden in het midden van het dorpsplein. Een vlieg zat op zijn buik en een straaltje zweet liep langs zijn slapen. Buiten Hans en mij was er geen spoor van leven te bekennen. Ik heb toen naast hem neergeknield en zijn hoofd in mijn schoot genomen. Toen hij wakker werd glimlachte hij met glazige ogen naar me.

Sinds Ajacucho is het altijd wachten op Hans. Of ik nu in het donker op een matras luister naar de nacht, of onder een boom een bruiloftsfeest gadesla, altijd is het wachten op Hans. En nooit is er iemand om mee te praten. Nooit kruist een andere gringo ons pad.

Na het bruiloftsfeest raak ik de tel een beetje kwijt. Dorpen en dagen vallen steeds moeilijker te onderscheiden. Ik streep wel de dagen in mijn zakagenda aan, maar 's avonds weet ik vaak niet of ik de dag al aangestreept heb of niet. Op die manier streep ik sommige dagen misschien wel twee keer aan, of helemaal niet. Op een dag in een dorp woont er een jongen die in de hoofdstad gewerkt heeft en Engels praat. Terwijl Hans met de mannen rookt en drinkt, wil hij weten waar we vandaan komen en hoelang we al onderweg zijn en hoeveel geld we bij ons hebben. Later als het donker is en ik op Hans lig te wachten, komt hij langs en wil weten of we boeken bij ons hebben. Het Latijnsamerikaanse handboek is alles wat ik hem kan tonen. Hij laat me beloven hem boeken op te sturen als we weer thuis zijn en schrijft zijn adres op een stukje papier. Ik zeg hem dat hij wel geduld zal moeten oefenen. Hij zegt dat er geen haast bij is. Ik toon hem onze reisroute op de kaart in het handboek. Bij Ajacucho blijf ik staan. Ook de jongen heeft er geen idee van waar ergens op de kaart zijn dorp ligt. Ik vertaal voor hem een paar stukjes uit het handboek naar het Engels en hij zegt hoe het in het Ketchua zou klinken. We praten een beetje over het regenseizoen dat bijna voorbij is. Hij blijft nog wat zitten met het handboek in zijn handen, ik hou het papier met zijn adres vast. Het is al laat als hij het handboek neerlegt en weggaat. 's Morgens ligt Hans niet naast me. Net zoals de vorige keer vind ik hem moederziel alleen in het midden van het pleintje. Er zijn slechts kleine verschillen. Zo bijvoorbeeld zit er nu niet één vlieg op zijn buik, maar ettelijke vliegen. Zo bijvoorbeeld vermengt zich nu het straaltje zweet dat langs zijn slapen loopt met het bloed dat uit zijn mond druppelt. Zo bijvoorbeeld staan zijn ogen wijd open en zijn ze hard als glas. Ik heb toen naast hem neergeknield en heb zijn hoofd in mijn schoot genomen. Ik heb gewacht. Het bloed druppelt niet langer uit zijn mondhoeken maar stolt bruin op zijn huid en op de grond. Zijn huid is vaalgrijs. Donkere vlekken verschijnen binnen het half uur, vooral op oogleden en borstkas. De vliegen zijn agressief. Zijn hoofd is loodzwaar in mijn schoot. Heel binnenkort zal ik zijn hoofd neerleggen en het lege plein oversteken. Heel binnenkort zal ik het huis waar ik overnacht heb binnengaan, het zeil halen en het over Hans uitspreiden. Ik zal dan het lege plein opnieuw oversteken, het huis opnieuw binnengaan en mijn rugzak pakken. Het Latijnsamerikaanse handboek zal ik achterlaten voor de jongen die zo graag boeken wil hebben. Heel binnenkort. Maar nu nog niet.

7 De halfbroer

Enno zei dat hij eerst andere kleren wilde aantrekken. Zijn moeder vond dat ze nog lang niet uitgepraat waren, maar Enno herhaalde dat hij eerst andere kleren wilde aantrekken. 'Later,' zei hij. 'Op een andere dag misschien.' Hij zei dat wat hem betrof ze er al genoeg woorden aan hadden vuilgemaakt, 'en,' zo zei hij, 'woorden zijn er niet aan besteed.' Zijn moeder repliceerde dat ze nauwelijks de kans had gekregen om haar visie uit de doeken te doen, en waar bleef de koffie. Enno beloofde dat hij koffie zou zetten zodra hij andere kleren had aangetrokken. Hij zei dat hij zich benauwd voelde in het strakke, zwarte pak. Zijn moeder vroeg zich af waar Hilda bleef en waarom zij geen koffie zette. Hilda was vast boven, andere kleren aan het aantrekken, opperde Enno. Zij hield ook niet van al dat zwart. Ze konden straks maar beter samen een stukje eten en de hele affaire laten voor wat ze was. Met een volle maag zouden ze er vast niet zo mistroostig tegen aan kijken. Maar hij kon bezwaarlijk in dit pak voor het fornuis gaan staan, te meer daar het een huurpak was. 'Waarom,' zei zijn moeder en sloeg met haar vlakke hand op het bundeltje papier dat voor haar op tafel lag, 'ben jij niet getrouwd met een vrouw die kookt?' 'Hilda is een uitstekende kok,' zei Enno. 'Dàt,' zei zijn moeder, 'heeft ze al die jaren aardig weten te verbergen.'

Boven op de slaapkamer trekt Enno de zwarte kleren uit en blijft in zijn ondergoed op de rand van het bed naar zijn spiegelbeeld staren. Hilda komt de trappen op en gaat naast hem zitten. Enno legt een arm om haar heen en zijn vingers glijden haar zwarte bloesje binnen. 'Ik dacht dat je de hele tijd hierboven had gezeten,' zegt hij. 'Andere kleren aantrekken.' 'Ik vind zwart me wel goed staan,' zegt ze en kijkt voor zich uit naar de spiegel waarin vingers in haar bloesje graaien. 'Je bent verrukkelijk in het zwart,' zegt Enno en draait haar gezicht naar het zijne. Hij steekt zijn tong eventjes in haar mond. Hilda zegt, 'Je moeder liet zeggen dat ze nog veel met je te bespreken heeft. Ze zegt dat je de feiten onder ogen moet zien.' 'Zeg tegen mijn moeder dat ik eerst andere kleren wil aantrekken,' zegt Enno en maakt een knoopje van haar bloesje los. 'Vreemd,' zegt hij, 'ik dacht dat jij niet zo hield van al dat zwart. Ik dacht dat jij al lang iets anders zou hebben aangetrokken. Weet jij in feite nog wat voor kleur pak hij droeg?' 'Wie? De notaris?' 'Neen, mijn vader.' 'Geen idee. Ik heb hem niet meer gezien nadat ze met hem klaar waren.' Hilda staat op zegt: 'Je moeder zegt dat je de werkelijkheid niet mag ontvluchten.'

Wanneer Hilda wat later voor de tweede keer naar boven komt, zit Enno nog steeds naar zijn spiegelbeeld te staren. Hij is helemaal naakt nu, en houdt zijn geslacht in de ene hand. Zijn tong hangt zijlings uit zijn mond. 'Je moeder heeft spek met eieren gebakken,' zegt Hilda. 'Ik heb geen trek in spek met eieren.' 'Je moeder zegt dat het je lievelingsgerecht is.' 'Zeg tegen mijn moeder dat ik ga fietsen.' 'Je moeder zal zeggen dat je eerst iets moet eten.' Wanneer Hilda voor een derde keer naar boven komt, houdt Enno zijn geslacht in de andere hand. Hilda gaat naast hem zitten en zegt: 'Je moeder wenst dat je er een verhaal van maakt. Ze zegt dat dat haar laatste woord is.' 'Ik heb honger,' zegt Enno. 'Je moeder heeft al het spek aan de poes gegeven,' zegt Hilda en legt haar hand over zijn geslacht. 'Ze dacht dat je te ontdaan was om te eten. Wat ze wil is dat je er een verhaal over schrijft. Ze zegt dat jij vroeger zo'n leuke opstellen kon schrijven, en dat het zonde is dat je ze niet allemaal hebt bewaard.' 'Mijn moeder zegt veel vandaag,' zegt Enno. Hij slaat zijn vrije arm om haar heen en legt zijn hand op haar rechterborst. Hilda zegt: 'Ze zegt dat ze er verder geen woorden aan wil vuilmaken. Dat woorden er niet aan zijn besteed.' 'Zeg haar dat ze meer dan gelijk heeft.' Zijn hand kruipt verder tot aan haar linkerborst. 'Zeg haar dat ik eerst een schriftje ga kopen. En een kroontjespen. Zeg haar dat ik vroeger mijn opstellen altijd met een kroontjespen schreef.' Hilda staat op en de hand valt van haar borst. Bij de deur zegt ze: 'De poes heeft de eieren laten staan en er is ook nog brood.' En Enno zegt nog, 'Zeg haar dat zwart haar niet staat en dat het niet meer gebruikelijk is om lang rouw te dragen. Zeg haar dat ze te oud is om zwart te dragen en dat als ze wil ze hier kan blijven slapen. Zeg haar dat we allebei vrij hebben de rest van de week en dat ze zolang hier kan logeren.'

'Hij heeft gelijk,' zegt haar schoonmoeder, 'zwart staat me niet.' Ze horen Enno het huis uitlopen. Hilda zit op een keukenkrukje en rookt een sigaret. Haar schoonmoeder doet de afwas en vraagt wanneer ze van plan zijn een vaatwasmachine te kopen. Als ze klaar is, bindt ze de gebloemde schort af en is weer helemaal zwart. 'Ik stap maar eens op,' zegt ze. 'Enno liet vragen of u niet een paar dagen bleef logeren. Zo'n huis alleen is ook maar niets.' 'Kind,' antwoordt haar schoonmoeder waardig, 'ik woon al heel mijn leven alleen. Zorg jij er maar voor dat je man dat verhaal schrijft. Ik laat alle papieren hier, dan kan hij ze eerst rustig doornemen. Het is gewoon een kwestie van discipline. Meer niet.' In het lege huis knielt Hilda naast de tafel waarop haar schoonmoeder de papieren heeft laten liggen. De geboorteakte ligt bovenaan. Ze kijkt enkel. Raakt niets aan. Wat later staat ze op, steekt een sigaret aan, neemt haar dagboek uit de lade, gaat aan de keukentafel zitten, en schrijft: 'Dit is niet mijn verhaal. Ik heb er geen recht op.' Ze haalt de rook diep in en voegt eraan toe: 'Althans nu nog niet.'

Enno komt thuis en loopt meteen door naar zijn werkkamer. Hij legt het schrift en de kroontjespen op de tafel. Het is een ouderwets schrift, met een harde, zwarte kaft en rode hoeken. Ergens in een kast moet er nog een inktpot staan. Zijn moeder heeft gelijk. Hij kon leuke opstellen schrijven vroeger op school. Wat zijn moeder niet weet, is dat hij ze allemaal heeft bewaard. 'Mijn huisdier'. 'Terug naar school'. 'Zelfportret'. 'Mijn vader'. Allemaal stuk voor stuk door de leraar voorgelezen in de klas. 'Mijn vader'. Toen ik in mijn dertigste levensjaar was vernam ik voor het eerst dat mijn vader.' 'De dag nadat mijn vader begraven werd, trokken we nogmaals onze zwarte kleren aan omdat de notaris het testament zou voorlezen. Was me dat een verrassing!' Het ontbreekt Enno aan moed om het opstel van twintig jaar geleden erop na te lezen, al kan hij ook zo vermoeden wat hij toen heeft neergepend. Samen fietsen langs de vaart. Samen naar het voetbal. Mijn kleine hand in zijn grote. Schouderklopje op mijn rug. Zijn stekelige baard tegen mijn wang 's avonds wanneer hij mij toedekt. Maar hoe zat dat dan met die andere? Nam hij die ook mee naar het voetbal? En door wie werd die 's avonds toegedekt?

Enno, die van zijn moeder de opdracht had gekregen een verhaal te schrijven over zijn vader, had die middag daartoe een schrift en een kroontjespen gekocht. Die avond sloeg hij het schrift open en schreef er zijn naam en de datum in. Op de volgende bladzijde schreef hij, 'Mijn vader' maar bedacht zich en maakte er 'Het verhaal' van. Ook deze titel vermocht hem niet lang te behagen en werd vervangen door 'Mijn halfbroer'. Op dat ogenblik was zijn vrouw binnengekomen en had de documenten voor hem op tafel gelegd. Ze zei: 'Je moeder vindt dat je ze maar eerst rustig moet doornemen,' en ging weer naar beneden. Hij had het bovenste document van het stapeltje genomen en zat lange tijd naar het vergeelde papier en het schoolse handschrift in grijsblauwe inkt te turen. 'Vast met een kroontjespen geschreven,' dacht hij. Met zijn vingertoppen tastte hij de woorden af zonder ze echter te lezen. Het tweede document dat op het stapeltje lag was minder oud en het papier was nauwelijks verkleurd. Hij rook er eens aan en bestudeerde de blanco achterkant. Tenslotte las hij de woorden die hij de notaris die ochtend had horen voorlezen. 'Ik ben een laf man. Vergeef me mijn lafheid.' En Enno had in het schrift geschreven: 'Mijn vader. Op zondagochtend gaan mijn vader en ik naar het voetbal en 's middags gaan we samen fietsen langs de vaart. Mijn vader heeft grote handen en een stekelige baard. Hij is een laf man. Hij heeft twee zonen, ik en de andere. Ik heb zijn naam gekregen, de andere niet. Hij wenst dat we hem zijn lafheid vergeven.' Maar twee sigaretten later had hij het blaadje uit het schrift gescheurd, en schreef hij: 'Dit is geen verhaal. Dit zijn feiten. Er is geen verhaal.

Er zijn alleen maar feiten.' Daarna had hij het schrift samen met de documenten weggeborgen en was naast Hilda in bed gekropen. Voor het eerst sinds de dood van zijn vader had hij zijn geslacht in Hilda gestoken. Kort nadien was hij in slaap gevallen.

Hilda staat op om te gaan plassen en voelt het sperma langs haar dijen lopen. Vroeger, toen ze pas getrouwd waren, oefende Enno nauwgezet controle uit op haar postcoïtale gedrag. Hij wilde dat ze stil bleef liggen en soms legde hij zelfs een kussen onder haar bekken om het sperma optimale kansen te geven op zijn tocht naar haar baarmoeder. In die tijd wou Enno een kind maken. 'Een zoon,' zo zei hij, 'wordt in het begin van de cyclus gemaakt. Een dochter naar het einde toe.' Hij vroeg haar iedere ochtend haar lichaamstemperatuur te noteren om precieze gegevens over haar cyclus te verzamelen. Soms verklaarde hij dat het vooral te maken had met de stand van de maan. Volle maan, bijvoorbeeld, was meestal voor een meisje maar soms ook voor een jongen. Met zijn sperma kon je hoe dan ook alle richtingen uit. Gewoon een kwestie van het bekken wat hoger te leggen. Of het aan haar bekken lag, of aan de maan, of wie weet aan zijn sperma, heeft Hilda nooit kunnen achterhalen. Hoe dan ook, vandaag de dag blijkt Enno enkel nog een stukje van zijn lichaam in haar lichaam te willen steken. Over de stand van de maan of van haar bekken wordt er niet meer gepraat.

Wanneer ze klaar is met plassen, gaat ze de woonkamer binnen en neemt haar dagboek uit de lade. Ze steekt een sigaret op en schrijft: 'Er is de man, de vader en de dader, en ook de bastaard die de naam van de vader niet mag dragen. Maar waar is de vrouw in dit familieportret? Waar is de vrouw met het bezwete gelaat? Waar is de vrouw met de pijn in haar buik? Waar is de vrouw alleen in de nacht? Pijn slaat in haar buik en rijt haar open. Pijn gulpt uit haar lijf.' Hilda krijgt het koud beneden in de woonkamer en als haar sigaret opgerookt is, legt ze haar dagboek terug in de lade en gaat weer naar boven.

's Ochtends in de badkamer zegt Hilda tegen Enno dat ze misschien wel op elkaar lijken. 'Misschien heeft hij wel dezelfde ogen. Of misschien heeft hij van die hongerige ogen zoals weeskinderen op plaatjes in boeken. Denk je dat het hem aan te zien is dat hij in een weeshuis is opgegroeid?' 'Hoe kom je erbij dat hij in een weeshuis is opgegroeid?' 'Dat staat toch in het testament.' 'Daar herinner ik me niets van. Had hij dan geen moeder die voor hem kon zorgen?' 'Blijkbaar niet. Anders zou hij niet in een weeshuis zijn terechtgekomen. Wat zijn jouw plannen voor vandaag?' 'Ik ga maar eens fietsen, denk ik. Langs de vaart. Net zoals vroeger. Maar zonder mijn vader dan. Als mijn moeder belt, zeg haar dan dat ik een titel heb bedacht voor het verhaal. Zeg haar dat ik het *Als twee druppels water* ga noemen. Of misschien wordt het *Net tweelingbroers*.' Na het ontbijt zegt Hilda: 'Misschien zou je hem moeten ontmoeten. Het zou best een aardige man kunnen zijn. Als ik me niet vergis heeft de notaris zijn adres. Tenslotte is hij je halfbroer.' 'Waarom ga jij eigenlijk niet naar hem toe? Jij kunt beslist beter oordelen dan ik. Als mijn moeder belt wil je haar dan zeggen dat ze vanavond kan komen eten. Zeg haar dat ik witloof zal klaarmaken.'

En voordat hij het huis uitloopt, vraagt hij nog of er in feite een weeshuis in de buurt is, en Hilda antwoordt dat ze altijd verondersteld heeft dat het rode

bakstenen gebouw langs de vaart een weeshuis huis-
vest.

Wanneer ze de voordeur heeft horen dichtslaan,
neemt ze de hoorn van de haak, draait het nummer van
de notaris en legt de hoorn weer neer. Ze steekt een
sigaret aan, neemt de hoorn weer van de haak en draait
het nummer van haar schoonmoeder. 'Enno gaat het
Als twee druppels water noemen,' zegt ze. 'Wat gaat
Enno *Als twee druppels water* noemen?' vraagt haar
schoonmoeder. 'Nou, het verhaal.' 'Wat een vreemde
titel. Kan hij niets anders bedenken?' 'Misschien
wordt het *Net tweelingbroers.* Enno liet vragen of u
witloof komt eten vanavond,' zegt Hilda, maar haar
schoonmoeder antwoordt dat ze liever thuis tv blijft
kijken want daar heeft ze tenminste kleur. 'En zou je
Enno willen zeggen dat hij het horloge van zijn vader
mag hebben. En de fiets die kan hij ook krijgen.' 'Misschien moeten we aan de andere ook maar iets geven,'
oppert Hilda, maar haar schoonmoeder antwoordt
scherp dat ze niet begrijpt wat ze bedoelt, en dat het
testament zeker niet in die zin kan worden opgevat.
'Het behelst louter een mededeling. Niet een wilsbe-
schikking. Dat heeft de notaris me verzekerd. En Hilda, zou je Enno kunnen zeggen dat ik besloten heb
geen trouwring meer te dragen. Zeg hem dat ik reken
op zijn begrip. En zeg hem dat hij niet zo vaak witloof
moet klaarmaken. Er bestaan heus nog wel andere
groenten.' Na het telefoongesprek met haar schoonmoeder schrijft Hilda in haar dagboek: 'Nu nog kon
ze de trouwring om haar vinger voelen zitten. Nu nog
tintelde haar huid waar vroeger het metaal knelde.'
Wanneer Enno thuiskomt, steekt hij eventjes zijn tong
in haar mond en zegt dat hij het wel begrijpt van zijn
moeder. 'Waarom ook zou ze die ring blijven dragen,'

zegt hij. Terwijl hij in de keuken het witloof klaar-maakt, belt Hilda de notaris en houdt haar agenda klaar. 'Zijn jeugd heeft hij natuurlijk in het weeshuis gesleten,' zegt de notaris, 'maar sinds hij meerderjarig is woont hij op kamers in het centrum van de stad.' Hilda noteert het adres in haar agenda.

Enno heeft te veel witloof gegeten en neemt een glas bier mee naar boven omdat bier de spijsvertering zou bevorderen. Met tegenzin haalt hij het schrift te voor-schijn dat hij eigenlijk voorgoed had weggeborgen. Hij schrijft: 'Vandaag, zoals ettelijke keren tevoren, langs de vaart gefietst. Voor het eerst oog gehad voor het rode bakstenen gebouw met de torentjes en de ge-traliede ramen op de benedenverdieping. Beseffen dat daar dus de andere woonde. Kind was. Opgroeide en meerderjarig werd. Fietsen langs de vaart, mijn vader en ik. Wie fietst er nog met ons mee? Vertraagde hij wanneer we? Keek hij op of om wanneer we? Ik heb er in elk geval nooit iets van gemerkt. Berekenen dat het een koud kunstje moet zijn geweest om even binnen te springen in het weeshuis. Wanneer hij er alleen op uit-trok, bijvoorbeeld, om alle remmen eens los te gooien zoals hij dat noemde. "Zoon", zei hij dan, "als jij groot bent, zal het jou net zo varen als je oude heer en zal jij wellicht ook bij tijd en wijle de remmen willen losgooien." Wie zou hij geweest zijn voor de ander? Een excentrieke oom. Een trouwe vriend van zijn overleden vader? Fietsen langs de vaart, mijn vader fietst met me mee. Mijn vader heeft een grote glanzen-de fiets met wel tien versnellingen. Hij haalt moeite-loos zestig per uur. Als ik groot, ik ook, zo'n glim-mende fiets, zoals mijn vader, vader en zoon, wat kan er mooier zijn dan vader en zoon op de fiets samen langs de vaart. Eendjes schuilen in het riet.'

Hilda valt in slaap voordat Enno naast haar in bed kruipt en de kans krijgt een stukje van zijn lichaam in het hare te steken. Hilda droomt. Ze loopt in de nacht met een baby aan haar borst en de baby is Enno. Nu eens is de baby dood, dan weer leeft hij. Ze is alleen in de nacht met een kind aan haar borst. In het huis waar ze binnengaat zegt men haar dat ze de baby maar ter adoptie moet aanbieden en dat er veel vraag is naar blonde baby's. Als ze weer buiten is, beseft ze dat ze haar handtas vergeten is en het huis weer moet binnengaan. De vrouw aan de balie gooit haar haar lege handtas toe en zegt met minachting: 'En je portemonnee is ook al leeg.' Buiten stopt ze de baby gauw in haar handtas en haast zich weg. 'Met zulke dromen,' zegt Enno, 'zou jíj maar beter het verhaal schrijven. Ik denk dat ik maar eens bij mijn moeder binnenloop. Ik vraag me af hoe ze het stelt zonder trouwring.'

Wanneer Hilda beneden de voordeur hoort dichtslaan, gaat ze aan de toilettafel zitten en doet haar trouwring af. Zonder ring is het evengoed een geringde hand, want haar huid is wit en week op de plaats waar al die jaren de ring heeft gezeten. Met handcrème masseert ze langdurig haar vinger maar het maakt weinig verschil. Ze gaat naar beneden en draait het nummer van haar schoonmoeder, maar er neemt niemand op. Ze loopt weer naar boven, doucht zich en trekt schone kleren aan. Voor ze het huis verlaat, houdt ze haar dagboek even in handen maar legt het terug zonder het te openen. Bij de voordeur maakt ze plots rechtsomkeert, loopt naar boven en schuift de ring weer over haar vinger.

Er rijdt een tram van bij hen in de buurt tot in de straat die de notaris heeft opgegeven. Hilda stapt een paar haltes eerder uit en loopt langzaam langs de huisdeuren, huisnummers en bellen. Er staat geen naam bij de bel van het huis waar hij woont en Hilda loopt door tot op de hoek van de straat. Dan keert ze op haar stappen terug, gaat een koffieshop binnen aan de overkant en gaat bij het raam zitten. Ze bestelt koffie en wacht. Een uurtje later gaat aan de overkant de voordeur open en komt er een man naar buiten. Ze kent hem meteen. 'Als twee druppels water,' denkt ze, en drinkt met kleine teugjes haar kopje leeg. Ze neemt de tram terug naar huis en schrijft in haar dagboek: 'Het verhaal heeft geen eigenaar meer. Het gaat nu zijn eigen gang. Het heeft zijn eigen beloop. Niemand kan er nog aanspraak op maken.' En 's avonds in bed wanneer Enno in haar is, fluistert ze: 'Ik heb hem gezien,' maar ze heeft te zacht gesproken, want Enno schijnt het niet gehoord te hebben en het ogenblik gaat voorbij.

De volgende dag komt Enno's moeder op de koffie en Hilda kijkt naar haar ongeringde hand. Haar schoonmoeder zegt dat ze van plan is naar een andere stad te verhuizen, maar dat ze eerst op reis wil gaan. 'Wat zon,' zegt ze, 'dit is een kil, nat land.' Enno zegt dat er geen beter fietsland bestaat en zijn moeder repliceert dat hij nou net als zijn vader praat. Daarop stopt hun gesprek en Hilda zegt dat ze nog wat koffie zal zetten, maar haar schoonmoeder kondigt aan dat ze opstapt want dat ze nog langs het reisbureau wil. Enno kondigt aan dat hij gaat fietsen en Hilda ruimt de kopjes op. Voordat zij op haar beurt het huis verlaat, doet ze haar trouwring af en trekt andere kleren aan.

Hilda, die wist wat er die dag zou gebeuren, had zoveel mogelijk kleren over elkaar aangetrokken. Het was oktober en eigenlijk best warm voor de tijd van het jaar, maar toch had ze drie t-shirts, een jurk, een trui, een sjaaltje en een jasje aangetrokken. Verder droeg ze een hoed en handschoenen. Ze had de tram genomen en was gelijk met hem aangekomen. Hij had verbaasd gekeken naar de vrouw in al die kleren die hem totaal onverwachts had aangesproken. Later toen ze op één van de kussens die overal in zijn kamer lagen was gaan zitten, had ze haar handschoenen uitgedaan en haar ringvinger gemasseerd.

'Hilda is een mooie naam,' zei hij, en nam de hoed van haar hoofd.

'Als twee druppels water,' zei ze, en volgde hem naar de keuken waar hij thee zette.

'Melk?' vroeg hij en deed haar jasje uit.

'Een wolkje graag,' zei ze, en droeg haar kopje de kamer binnen. Ze morste thee op haar trui en trok hem over haar hoofd. De trui belandde ergens tussen de kussens.

Ze knoopte zijn hemd los en fluisterde: 'Waar is de vrouw in de nacht met het bezwete gelaat?'

En nog een knoopje: 'Waar is de vrouw met de striemende haren? Waar is de vrouw met het kind aan haar borst? Alleen in de nacht. Alleen in pijn.'

'Ik zie haar niet,' fluisterde hij en knoopte haar jurk los. 'Ik zie alleen een rood bakstenen gebouw langs de vaart en een man die zei mijn oom te zijn.'

Hij nam haar handen in zijn handen en masseerde de witte vlek waar vroeger haar trouwring zat. 'De nonnen vertelden ons over hemel en hel, leven en dood, ik zat steeds op de eerste bank, met Kerstmis kreeg ik een fiets of een pomp of een vlag voor mijn fiets.'

Zijn hoofd rolt langs haar gelaat en komt tot rust in haar handen. Zijn handen omsluiten haar handen en kruipen langs haar armen naar haar gelaat. Hij kijkt haar aan, streelt haar wang met zijn neus en legt zijn lippen op de hare. Bij elke zoen trekt Hilda een t-shirt uit tot hij is het kind aan haar borst dat drinkt gulzig en ongedurig. Haar borsten zijn wit albast. Later steekt ze haar tong in zijn mond en proeft de melk warmer en zoeter dan ze had verwacht. Pas dan is ook hij van zijn kleren bevrijd. Zijn sperma is een hete vloed in haar bekken. Zijn hoofd rust zwaar op haar buik. Zijn vingertoppen aan haar lippen. Zijn ademhaling zwaar maar regelmatiger nu. Melk drupt na uit haar borsten. 'Straks,' denkt Hilda, 'als ik naar huis ga, mag ik mijn handtas niet vergeten.'

8 *Tante*

'En toen ze de volgende ochtend het potje marmelade op de ontbijttafel zette, dacht ze: "Straks wanneer ik het deksel oplicht zie ik mijn zoontje zitten, zijn benen opgetrokken tegen zijn borst, zijn hoofd verschanst tussen zijn armen."

"Dag," zegt hij dan, "daar heb je lang over gedaan. Ik vreesde even dat je jam zou eten vandaag."

Het ventje in de marmelade was niet groter dan haar pink. Hij droeg een rode puntmuts, een zwarte pofbroek, lange witte kousen en rode muiltjes.

"Bah," zei hij, "wat een kleverige boel die marmelade."

Hij likte zijn armen en handen schoon.

"Kan jij praten?" vroeg ze.

"Natuurlijk," zei hij en rekte zich uit.

"Je bent wel erg lang weggebleven," zei ze. "Ik heb je overal gezocht: in kasten, in lades, tussen het wasgoed, in het kolenhok... Ik werd gek van ongerustheid. Bedoel je dat jij de hele tijd in dat potje marmelade zat?"

"Ja," zei hij, "ik dacht dat je niet meer zou komen opdagen. Ik werd bang dat iemand anders me zou meenemen. Jij bent degene die lang is weggebleven."

"Nu draai je de rollen om. Ik heb me rot gezocht naar jou. Ik heb zelfs een mis laten opdragen voor jou, en kaarsen ontstoken en gebeden iedere avond in mijn bed. En maar huilen en jammeren en mensen aanklampen met de vraag of ze nieuws hadden over jou. De mensen fluisterden achter mijn rug dat ik mijn verstand kwijt was. En mijnheer? Mijnheer zit rustig marmelade te snoepen in een supermarkt. Jij verdient een pak slaag!"

Maar op dat ogenblik stak hij zijn hand in de rechterzak van zijn pofbroek en toverde een prachtige ruiker bloemen te voorschijn.

"Voor jou," zei hij.

"Wat lief," zei ze, "dat had je heus niet hoeven te doen."

Ze tilde hem op haar handpalm om hem een zoen te geven, en het wonder geschiedde: de kabouter met de rode puntmuts werd een baby die in alle stilte op zijn truitje aan het overgeven was. Uit de rechterhoek van zijn mond liep een straaltje melk over zijn kin op zijn hemelsblauwe pakje.

"Ach liefje, krijg je het niet verteerd?" zei ze en nam het slabbetje dat op tafel lag en veegde zijn gezichtje schoon.'

'En toen?' vraagt Ilse.

'Toen was het tijd om te gaan slapen,' zeg ik.

'Ik heb ook eens overgegeefd,' zegt Ilse, 'toen ik van mijn mama rode saus moest eten.'

'Overgegeven,' zeg ik. 'Niet: overgegeefd.'

'Mama vertelt echte verhaaltjes. Waarom vertel jij geen echte verhaaltjes?'

'Omdat ik geen mama ben,' zeg ik, geef haar een vluchtige zoen en haast me de kamer uit.

'Nu een boek,' denk ik, 'rustig wat lezen, plaatje draaien, glaasje wijn,' maar nog geen minuut later staat Ilse huilend naast me.

'Ik wil mijn mama,' snikt ze.

'Wil je een koekje of wat chocola?'

'Ik wil mijn mama.'

'Zal ik een verhaaltje vertellen?'

'Een echt verhaaltje?'

'Een echt verhaaltje.'

'En niets weglaten of veranderen,' zegt ze.

'Beloofd,' zeg ik en begin te vertellen over een man en een vrouw die elkaar innig beminden, en die een lieftallig dochtertje hadden dat later Assepoester zou worden genoemd.

'Hoeveel kinderen kregen ze,' vraagt Ilse wanneer ik ben uitverteld.

'Tien,' zeg ik, 'vijf zonen en vijf dochters.'

'En wat gebeurt er met de stiefmoeder?'

'Al haar tanden vallen uit,' zeg ik, 'en haar haar ook. Ze moet de hele dag wassen en plassen om aan de kost te komen, en kan alleen maar soep naar binnen krijgen. Ze sterft dan ook heel gauw.'

'En de stiefzussen?'

'Die gaan ook dood.'

'Gaat mama dood?' vraagt ze.

'Nee,' zeg ik, 'die leeft nog heel erg lang. En nu moet je gaan slapen. Misschien kunnen we morgen je mama bezoeken.'

Iedere avond wordt ze met dezelfde belofte gepaaid. Ik kan me nauwelijks inbeelden dat ze me gelooft, maar plots wenst ze me goedenacht en gaat naar haar kamer. Wanneer ik eindelijk een glas wijn voor mezelf uitschenk en een boek opensla, voel ik me als de boze stiefmoeder die lui in bed ligt of in bad, terwijl haar stiefdochtertje op haar blote knieën de trappen schrobt of in lompen gehuld het ijskoude weer trotseert om sneeuw te ruimen.

'Hoe voel je je?' vraag ik.

'Rot,' zegt ze. Ze is met draden verbonden aan toestellen die oranje en groen opflikkeren, en die vloeistoffen in haar aders laten druppelen. Ze wil niet dat

Ilse haar ziet en dus bezoek ik haar wanneer Ilse op school is. De eerste keer had ik pralines voor haar meegebracht. Ze lag vastgebonden aan een ijzeren bed op de intensive care-afdeling. Ze stampte en woelde en probeerde los te breken. Er stond schuim op haar lippen.

'Kom morgen terug,' zei een verpleegster en nam de doos pralines uit mijn handen. 'Morgen is het kwaadste voorbij. Maar van pralines zal uw zus in de toekomst moeten afblijven.'

'Waarom is ze vastgebonden?'

'Ze moet tot rust komen. En het is de enige manier om de infusievloeistof in haar lichaam te krijgen. Morgen of overmorgen is ze weer de oude.'

'Heeft ze pijn?' vroeg ik.

'Pijn?'

Mijn zus stuwde haar bekken de hoogte in maar werd weer tegen het bed geslagen door de brede leren band om haar middel.

'Zitten die riemen niet te strak?' vroeg ik.

Haar handen en voeten waren blauwig wit. Het schuim op haar lippen was geel.

'Zodra het enigszins mogelijk is maken we haar los. U moet vertrouwen in ons hebben.'

Toen ik naar buiten ging stopte ze de doos pralines in mijn handen.

'Voor bij de koffie,' zei ze.

'Ik drink geen koffie,' zei ik en duwde ze weer in haar handen.

Vandaag heb ik een nachthemd voor haar mee.

'Dank je,' zegt ze, maar ze bekijkt het nauwelijks.

Haar lijf heeft de strijd tegen de hormonale omwenteling bijna gestreden. Ze is rustig nu. Klaar om een praatje te maken en om geschenkjes in ontvangst te nemen. Niemand heeft het haar verteld van het schuim op haar lippen en de riemen om haar polsen, haar enkels en haar middel. Ze herinnert zich niets van wat iedereen kies haar crisis noemt.

'Heb je pijn?' vraag ik.

'Nee,' zegt ze, 'nooit pijn gehad.'

'Hoe lang houden ze je nog hier?'

'Nog even. Mijn lichaam gedraagt zich nog steeds onvoorspelbaar. Wist jij dat insuline een hormoon is?'

'Nee,' zeg ik.

'In ons lichaam produceren de betacellen van de pancreas insuline. Als de insuline geproduceerd door de alvleesklier ontoereikend is om een normaal glucosegehalte mogelijk te maken, kan de medische wetenschap aan de suikerzieke middelen verschaffen waarmee dat evenwicht hersteld kan worden.'

Ze gooit me de folder toe waaruit ze voorgelezen heeft.

'De dokters zeggen dat ik had kunnen doodgaan,' zegt ze. 'Ik had ontzettend veel dorst en dronk het ene glas cola na het andere. Puur vergif in mijn geval. Beeld je in, cola, cola! En ik was aan het uitdrogen. De crisis was onvermijdelijk.'

'Ga je jezelf insuline-injecties geven?' vraag ik, en ik wijs naar de doos met injectienaalden op haar nachtkastje.

'Oh ja,' zegt ze, 'ik mag het ziekenhuis niet uit voor ik het kan. Maar eerst moet de dosis secuur worden bepaald.'

'Ilse vraagt vaak naar jou,' zeg ik. 'Wanneer mag ze je komen bezoeken?'

'Wil je haar kwijt?'

'Dat bedoelde ik niet. Wel,' zeg ik, 'alles is dus goed afgelopen.'

'Oh ja,' zegt mijn zus, 'ik ben werkelijk een geluksvogel. Heerlijk gewoon jezelf iedere ochtend en iedere avond een prik te kunnen geven. Verrukkelijk om bij iedere hap je vragen te stellen over het glucosegehalte ervan. En misschien word ik nog blind ook.'

'Blind?'

'Ja, blind.'

'Ik wou alleen maar...'

'Ga weg,' zegt ze. 'Kijk niet naar me. Kom hier niet staan lachen met mij.'

Er staan tranen in haar ogen. Ik wil mijn armen om haar heen slaan, haar zeggen dat het me spijt, dat ik het niet zo bedoeld heb, maar ze duwt me weg.

'Ga weg,' zegt ze.

En nu huil ik ook natuurlijk, buiten in de gang op weg naar de uitgang. Ik wou maar zeggen, denk ik, dat er ook ziektes bestaan waarvoor de medische wetenschap geen middelen kan verschaffen. Afwijkingen waarbij de medische wetenschap voor een raadsel staat. Er bestaat een ziekte die endocardiale fibro-elastose heet. Eigenlijk is het geen ziekte want er bestaat geen remedie voor. Geen symptomen of toch nauwelijks. De patiënt lijkt gezond en sterk, alleen ligt hij op een ochtend dood in zijn wieg. Het is een ziekte waarmee vooral de patholoog-anatoom vertrouwd is, bij zijn dissectiewerk. Hem valt de eer te beurt het hart open te snijden en de verraderlijke vloeistof die de hartwand uitput te identificeren. 'De volgende keer,' denk ik, 'neem ik een doos pralines mee en eet ze één voor één op voor haar neus.'

Later sta ik Ilse op te wachten aan de schoolpoort.

'Je mama heeft me gevraagd je te trakteren op een ijsje,' zeg ik en geef haar een zoen.

'Wanneer mag ik naar mama?' vraagt ze.

'Binnenkort,' zeg ik, 'heel binnenkort.'

Vlak voor de voordeur van het pand waar ik woon ligt een plas bloed op het trottoir. Er staat schuim op maar het is onmiskenbaar bloed. Automatisch sla ik mijn hand voor Ilses ogen maar ze heeft het gezien.

'Ik wil naar mama,' zegt ze.

'Voorzichtig,' zeg ik, en draag haar naar binnen.

Een hond, denk ik, vast een zieke hond. Niets om me zorgen over te maken.

Na de dood van mijn zoontje had iedereen me aangeraden te verhuizen.

'Ga daar weg,' zeiden ze. 'Al die herinneringen zijn niet goed voor je.'

Mijn zus, die zes maanden zwanger was van Ilse, bood aan alle babyspullen naar een vluchthuis voor vrouwen te brengen.

'Daar hebben ze die dingen hard nodig,' zei ze.

'En jij dan?' vroeg ik. 'Kan jij ze niet gebruiken?'

'Ik kan alles lenen van mijn schoonzus,' zei ze.

'Ja, natuurlijk,' zei ik.

Ik gaf haar de kinderwagen mee en het verzorgingskussen.

'De rest breng ik zelf wel,' zei ik.

In de kinderwagen had hij hooguit twee keer gelegen en het kussen had ik toch altijd lelijk gevonden.

'Je hoeft mij geen geschenkje te geven wanneer ik bevallen ben,' zei ze. 'Je hoeft jezelf dat niet aan te doen. En ik wil ook niet dat je je verplicht voelt om me te komen bezoeken in de kraamkliniek. Het is beter voor jou wanneer je wegblijft.'

Ze zette de voordeur wagenwijd open, omklemde het handvat van de lege kinderwagen en reed hem naar buiten. Ik vroeg me af of ze bang was voor de baby die in haar buik zat. Of ze vreesde dat haar hetzelfde zou kunnen overkomen. Toen ik haar had proberen te vertellen waaraan mijn zoontje gestorven was, had ze me onderbroken met de mededeling dat zij en haar man gezonde mensen waren.

'Ik wou je maar zeggen,' zei ik, 'dat het slechts bij een relatief klein percentage van de gevallen een familiair verschijnsel is. Ik bedoel, jij en ik hebben verwante genen. Je zou je zorgen kunnen maken.'

'Voor zover ik weet,' zei ze, 'zijn er nooit eerder in onze familie hartkwalen gesignaleerd. En bij Paul in de familie is iedereen ook kerngezond.'

'Ja natuurlijk,' zei ik.

Toen Ilse twee maanden later vijf weken te vroeg werd geboren kocht ik een enorme ruiker bloemen, maakte me zorgvuldig op en trok naar het ziekenhuis. Het was zondagmiddag drie uur, het drukste bezoekuur van de week. Ilse had drie verschillende soorten bezoek: een tante, een collega met vrouw en zoon, en twee vriendinnen. Toen ik haar kamer binnenkwam stokten alle gesprekken.

'Proficiat,' zei ik tegen mijn zus.

'Dank je,' zei ze. 'We gaven elkaar drie zoenen. Links, rechts, links. Een van de vriendinnen stond op en bood me haar stoel aan. 'Het wordt tijd dat we eens opstappen,' zei ze, 'we zijn al te lang gebleven.'

Iedereen stond op en verklaarde dat mijn zus moest rusten. 'We komen eens langs wanneer je thuis bent,' zeiden ze.

'Heb je een vaas voor de bloemen,' vroeg ik toen iedereen weg was.

'Ik zal het straks aan de verpleging vragen,' zei ze. 'Blijf maar zitten.'

'Is alles in orde met Ilse?' vroeg ik.

'Ja,' zei ze. Ze keek op haar horloge. 'Paul komt om vier uur,' zei ze. 'Geef je me mijn spiegeltje en make-up?'

'Kan je nog altijd niet uit bed?'

'Ik kan het wel, maar ik vermijd het liever.'

'Hebben ze je geknipt?'

'Ja,' zei ze, 'de draadjes zitten er nog in.'

Ze vroeg me niet of ik er ook last van had gehad en hoelang de draadjes er bij mij waren ingebleven. Geen van beiden zinspeelden we op het feit dat ik dit allemaal ook had meegemaakt, dat drie maanden geleden ik in het kraambed had gelegen en mijn zus mij bloemen had gebracht.

'Ilse ligt een verdieping lager,' zei ze terwijl ze haar oogschaduw op haar ooglid aanbracht. 'Je kan haar zien als je wil.'

Toen ik bij de deur was zei ze mijn naam en ik draaide me om.

'Ik had je gezegd dat je niet hoefde te komen,' zei ze.

'Dat weet ik,' zei ik, en ik haastte me de kamer uit omdat ik bang was dat ik zou beginnen te huilen. Het wezentje in de couveuse op de verdieping lager was ontzettend klein. Overal waren draden, doekjes en elektroden aan het iele lijfje bevestigd.

'Haalt ze het?' vroeg ik aan iemand.

'Oh ja,' zei ze. 'Alles verloopt naar wens.'

'En haar hart?'

'Niets aan de hand met haar hart. Een gezond sterk hart.'

Er lagen nog zeven andere foetusachtige wezentjes op de afdeling, het ene nog schraler dan het andere.

'Wat een lelijke mormels,' dacht ik, 'wat vreemd dat zij in leven zullen blijven.'

Toen ik thuiskwam keek ik lange tijd naar de foto van de mooie baby met de bolle wangetjes en het zieke hart.

Daarna bezocht ik geen baby's meer. Ik wou het de ouders niet aandoen, het schuldgevoel om hun springlevende baby. Vooral wou ik hen niet herinneren aan de baby die er niet meer was, aan het feit dat dat kon gebeuren, een baby die zomaar stierf. Ik wou niet de boodschapper des doods zijn en bleef uit hun huizen en kinderkamers weg. Wanneer op etentjes of feestjes over kinderen werd gepraat deed ik nooit mijn duit in het zakje en repte met geen woord over mijn geamputeerde moederschap. Wat stelden zeven weken met een baby trouwens voor in vergelijking met de dagelijkse zorg voor twee, drie of vier kinderen? En dus luisterde ik, stelde vragen, beaamde. Ik stuurde verjaardagskaarten naar hun kinderen en las hun voor uit een boekje wanneer ze meekwamen op bezoek. Soms was ik bang dat ze onder elkaar zeiden dat het beter was zo. Dat het toch erg moeilijk zou zijn geweest het kind een degelijke opvoeding te geven. Dat er niets terecht kon komen van een kind zonder vader.

'Een kind heeft een vader nodig,' hadden ze me gezegd toen ik vertelde dat ik zwanger was en van plan was het kind te houden. 'Jij hebt niet het recht om een kind zonder vader op de wereld te zetten. Het is onverantwoordelijk een kind te hebben van een man wiens geschiedenis je niet kent.'

Na de dood van mijn zoontje had iedereen aangenomen dat het aan hem lag. Hij was de onbekende, de vreemdeling, de indringer. Zijn genen zouden wel niet deugen.

Zijn kleertjes liggen nog altijd in de kast. Iedere avond kijk ik ernaar. Ik open de deur en kniel neer voor truitjes, kruippakjes, hemdjes en kousjes. Ik zit er maar wat, zing een liedje, vertel een verhaaltje. Een enkele keer huil ik, hopeloos en verloren. Soms, wanneer ik hem mij voel ontglippen, wanneer de herinneringen tergend vaag zijn en ik vrees straks geen pijn meer te voelen, neem ik de luier waarin ik de kleertjes bewaar die hij aan had toen hij stierf. Ze zijn nooit gewassen. De eerste weken na zijn dood kon ik hem ruiken. De melk die na de laatste voeding weer uit zijn mond was gelopen, over zijn kin en op zijn truitje, heeft er een gelige vlek op achtergelaten. Ik druk het tegen mijn gezicht, maar de geur is weg. Het truitje is vooraan met een schaar opengeknipt. De arts kon geen kostbare tijd verliezen met knoopjes en lintjes. Ze wou zo gauw mogelijk het hart bereiken.

'Wat doe je?' vraagt Ilse.

'Ik kijk,' zeg ik en ik sluit de kast.

'Naar wat?' vraagt ze.

'Zomaar,' zeg ik.

Dat had geen van mijn vriendinnen gedaan voor haar baby, hem zorgvuldig in een laken gewikkeld om hem aan de begrafenisondernemer te overhandigen, kleertjes uitzoeken voor de crematie, beslissen welk knuffeldiertje naast hem in de kist zou liggen. Geen van hen had zich voor haar kind in het zwart gehuld en het witte kistje op zijn laatste tocht begeleid.

Nadat ik mijn zoontje dood in zijn wieg had aangetroffen belde ik de hulpdiensten. Mijn zoontje kreeg een spuit in zijn hart waarop hij al dan niet zou reageren. De alles-of-niets-spuit. De erop-of-eronder-spuit. Ik bewonderde het vertrouwen van deze mensen in witte jassen. Mijn zoontje was al vrij koud en vaalblauw met donkere vlekken. Toch geloofden zij in de macht van hun spuit om hem tot leven te wekken. Toen ze met hem klaar waren en het woord over hun lippen kregen – 'dood, uw zoontje is dood' – mocht ik hem eindelijk weer in mijn armen nemen. Iemand zei dat ik een begrafenisondernemer moest bellen. Iemand anders zei dat het mijn schuld niet was. Dat ik me niet schuldig mocht voelen. Dat het vaker gebeurde, vaker dan je dacht. Ik veronderstel dat er bloed aan hem moet hebben gekleefd, want 's avonds toen iedereen weg was en ik me uitkleedde om te gaan slapen zag ik dat er bloed zat op mijn jurk, een grote vlek bloed. Ik pijnigde mijn hersenen maar kon niet bedenken waar dat bloed vandaan kon komen, tot ik het plots wist. Door de prik van de spuit was er bloed uit zijn hart gesijpeld en toen ik hem tegen me aandrukte was dat bloed op mijn jurk terechtgekomen. Ik wist niet wat ik ermee moest aanvangen. Of ik deze jurk moest wassen of bewaren als een relikwie. En ik begreep het ook niet, want op zijn kleertjes zat geen bloed. Ik begreep er niets van, van dat bloed op mijn jurk, op mijn linkerborst die stuwde en stuwde. 'Er moeten pillen bestaan,' dacht ik, 'die de melkproduktie stilleggen. Hormonen die een invloed hebben op de melkklieren. Ik moet dat morgen aan iemand vragen, aan een dokter of zo.'

Het is woensdagmiddag en Ilse speelt in de kamer waar vroeger zijn wieg stond. Haar moeder is gisteren naar huis gegaan met een tas vol injectienaalden en geneesmiddelen, maar er zijn geen afspraken gemaakt in verband met haar dochter. Ik heb het Ilse niet verteld. Ze vraagt niet meer naar haar moeder, maar toen ze me per vergissing 'mama' noemde keek ze me verschrikt aan en werd hoogrood.

'Volgende week mag ik hier weg,' had mijn zus op een middag gezegd.

'Fijn,' zei ik.

'Paul en ik gaan vieren.'

Fijn,' zei ik.

Ze repte met geen woord over Ilse, en ik veronderstelde dat ik haar de tijd moest gunnen om aan het idee te wennen dat ze voor de rest van haar leven diabetespatiënte zou zijn. Dat ze afhankelijk zou zijn van insuline en zich aan een streng dieet zou moeten houden.

Ilse is een stil kind. Ze speelt het liefst alleen op haar kamer. Na het eten had ik haar voorgesteld om samen naar het park te gaan, maar ze vroeg of ze alsjeblieft hier mocht blijven. Rond drie uur belt een vriendin om te zeggen dat ze gehoord heeft dat Ilse bij me logeert.

'Het zal wel leuk voor je zijn,' zegt ze, 'een kind in huis te hebben.'

'Ja,' zeg ik.

'Waarom komen jullie niet langs? Dan kan ze met die van mij spelen.'

'Wel, ze is net rustig aan het spelen op haar kamer. Misschien een andere keer.'

'Op welke kamer slaapt ze?'

'Op de logeerkamer,' zeg ik en ik leg de hoorn neer. Een halfuur later belt ze opnieuw en zegt dat de lijn daarnet blijkbaar werd afgebroken.

'Ik wou je eigenlijk vragen of je bij ons komt eten zaterdagavond.'

'Wel, Ilse is hier.'

'Breng haar mee. Jullie kunnen hier slapen. Bedden genoeg.'

'Ik zal er eens met haar over praten. Als ze wil bel ik je nog wel.'

'Een kind van vijf neem je gewoon mee. Je hoeft het haar toch niet te vragen.'

We beginnen te praten over mijn zus en mijn vriendin vertelt over een tante van haar die al jaren met diabetes leeft. Tot slot zegt ze dat ze ons verwacht zaterdag rond zeven uur. Na haar telefoontje bel ik mijn zus, maar er neemt niemand op.

'De suikerzieke is op stap,' denk ik. 'Een kind van vijf neem je dus gewoon mee. Oké. Op deze prachtige herfstdag ga ik met een kind van vijf een wandeling maken.'

Ik klop en duw de deur van de kinderkamer zachtjes open. De kleerkast staat wagenwijd open. Ilse zit op de grond tussen kruippakjes, hemdjes, truitjes en kousjes. Twee poppen zijn al uitgedost en voor een derde is ze een pakje aan het uitkiezen.

'Mooi hè, tante,' zegt ze.

'Ja,' zeg ik, 'erg mooi.'

De kleertjes die ik al jaren in een luier bewaar, liggen naast haar op de grond. Ze reikt ze me aan en zegt: 'Deze kan ik niet gebruiken. Deze zijn stuk en vuil.'

Zaterdagavond komt de dochter van kennissen baby-sitten. Tot mijn verwondering zijn mijn zus en haar man ook uitgenodigd bij mijn vriendin. Mijn zus ziet er goed uit. Ze heeft haar haar anders laten knippen en draagt een ander kleur oogschaduw.

'Wat jammer,' zegt ze, 'dat je Ilse niet hebt meege-bracht. Ik had gehoopt haar te zien. Gedraagt ze zich een beetje?'

'Ze is erg lief,' zeg ik.

'Goed,' zegt ze.

Jan is er ook, de man aan wie mijn vriendin mij wil koppelen. Hij heeft een kalend hoofd en vlezige zweethanden. Uiteraard wordt hij mij als tafelgenoot toegewezen. Mijn zus moet alles opnieuw vertellen. Hoe ze het eerst helemaal niet in de gaten had. Hoe gevaarlijk het was geweest en hoe de crisis een dodelij-ke afloop had kunnen hebben. We eten allemaal slaatjes en groentesoep omdat mijn vriendin het niet eerlijk vindt dat mijn zus zou moeten toezien hoe wij smullen. Mijn zus haalt een injectienaald uit haar tas en vertelt hoe ze geleerd heeft zichzelf insuline toe te die-nen. Er worden een paar grapjes gemaakt over heroï-ne, injectienaalden en Aids. Jan begint te vertellen over een ziekte die hij heeft gehad. Iemand heeft een moeder die iets gelijkaardigs heeft meegemaakt. Wanneer Paul klaar is met eten legt hij een arm over de schouder van zijn vrouw. Ze ziet er prachtig uit, mijn zus, bleek, grote donkere ogen, gitzwart haar, rode mond.

'Een geluk voor jullie,' zegt mijn vriendin plots, 'dat Ilse bij je zus terecht kon.'

'Ja,' zegt mijn zus, 'Ilse heeft een pracht van een tante.'

Het is tijd voor haar spuitje. Ze wil wel tonen hoe ze de spuit klaarmaakt, maar voor de injectie zelf zondert ze zich af.

'Je moet je secuur aan de dosering houden,' zegt ze. 'Dat is de kunst.'

Later bij de koffie zegt iemand tegen me dat het vast fijn voor me is een kind in huis te hebben.

'Oh ja,' zeg ik, 'erg fijn.'

Kort na twaalven ga ik als eerste naar huis. De gastvrouw drukt me op het hart woensdagmiddag langs te komen met Ilse.

'We kunnen allemaal samen naar het Melipark gaan,' zegt ze.

Mijn zus zegt dat ze me zal bellen een dezer dagen. 'Je bent een schat,' zegt ze, 'dat je zo goed voor Ilse zorgt.'

Wanneer ik thuiskom besef ik dat ik om de babysitter naar huis te brengen Ilse alleen thuis moet laten. 'Alsjeblieft geen ongeluk nu,' denk ik en ik probeer me te herinneren hoeveel wijn ik gedronken heb. Wanneer ik thuiskom staat Ilse op blote voetjes in de hal.

'Waar was je?'

'Ik heb de babysitter naar huis gebracht.'

'Ik was bang.'

'Ga maar weer slapen. Het is laat.'

'Vertel je me een verhaaltje?'

'Ik heb je al een verhaaltje verteld, vanavond voor ik vertrok.'

'Ik kan niet slapen. Ik wil een verhaaltje.'

'Kom dan bij mij in bed liggen,' zeg ik en ik duw de deur van mijn kamer voor haar open.

9 *Bloembakken*

In de streek waar ik woon zeggen de mensen dat je beter geen bloembakken kunt zetten vóór de ijsheiligen gepasseerd zijn. Het eerste jaar negeerde ik deze wijsheid en kocht begin april na drie dagen lentezon potaarde, plantjes, bakken en haken. Een betonnen muur scheidt mijn tuin van die van mijn buren en ik wou de grijze monotonie met bloemen breken. De plantjes die ik kocht zagen er allemaal eender uit maar de kweker verzekerde me dat de knoppen binnen de kortste tijd zouden opengaan. Eind april waren de plantjes verschrompeld, de stengels slap, de knoppen hard en rond. Op een avond laat, toen ik zeker was dat mijn buren sliepen, heb ik de vijftien bakken in grijze plastic zakken leeggemaakt. 'Kwekers moet ge nooit geloven,' zei mijn buurman de volgende ochtend. Ik heb toen de komst van de ijsheiligen afgewacht om de plantjes te vervangen. Tegelijk heb ik struiken geplant zodat een stuk van mijn tuin aan het oog van mijn buren is onttrokken. Van de bloembakken geniet alleen ikzelf. En Frits natuurlijk.

Frits gelooft niet in de ijsheiligen. In de stad waar hij woont wordt hun komst niet afgewacht om de gietijzeren omrastering van balkonnetjes en terrasjes op te fleuren. Ik probeer hem uit te leggen dat het anders is buiten. Dat de wisseling der seizoenen er dag na dag het land en de lucht impregneert. 'Bijgeloof,' zegt hij en trekt naar de kamer die ik boven voor hem heb ingericht. Meer en meer gebeurt het dat een gesprek op deze manier wordt afgebroken. De betonnen muur ergert hem. Er zit een grove korrel op waar mos op groeit. Bruingroene spikkels op grijs. 'Waarom verf je die muur niet?' vraagt hij. Het is duidelijk dat Frits nooit in zijn leven geverfd heeft. Of in een huurhuis heeft gewoond. Ik schrijf de namen van de ijsheiligen op een papiertje en schuif het onder de deur van zijn kamer. De ijsheiligen heten Mamertus, Pancratius, Servatius en Bonifacius.

Vandaag kennen Frits en ik elkaar precies een jaar, al denk ik niet dat hij dit beseft. Frits heeft besloten zijn haar niet meer kort te laten knippen. Ik weet niet of dat iets met onze verjaardag te maken heeft. Vragen die ik niet stel. Antwoorden waarom ik niet vraag. Officieel houden Frits en ik ons slechts aan één afspraak: we analyseren elkaar niet. Zeker niet hardop. Maar daarnaast zijn er de vele ongeschreven regels en voorschriften. De vragen die niet worden gesteld. De opmerkingen die niet worden gemaakt. Stilzwijgende afspraken die dwingender binden dan het uitgesproken woord.

Tot en met gisteren liet Frits iedere dag met een tondeuze zijn haar millimeteren. Je merkt het verschil vandaag al. De stoppels staan minder strak. Minder stijf. Iedere ochtend om acht uur stapte Frits op weg naar de universiteit de kapperszaak binnen.

'En voor mijnheer?' vroeg de kapper.

'Kort knippen,' antwoordde Frits en nam plaats in de zwarte lederen stoel bij het raam. Wanneer de kapper klaar was met zijn werk, vroeg Frits, 'En wat is mijn schuld?' waarop de kapper antwoordde, 'Negentig frank.' Het ritueel maakte zo'n indruk op de man dat hij het niet in zijn hoofd zou hebben gehaald er ook maar één syllabe van af te wijken, zelfs nadat de knipbeurt allang meer dan negentig frank kostte.

Connie heeft me verteld dat dit nummer ieder jaar door zijn studenten tijdens de revue wordt overgedaan. En dat soms de studenten 'Kort knippen' brullen wanneer hij het auditorium binnenstapt. Iedere ochtend is Frits op de universiteit hoewel hij enkel op maandag en donderdag doceert. 's Middags ziet hij meestal zijn patiënten.

'Wie knipt je haar op zondag?' vroeg ik hem de eerste keer dat ik hem aanraakte. Frits had met zijn vinger geconcentreerd de lijnen van mijn gezicht gevolgd en ik dacht dat hij mij zou gaan zoenen. Hij schoof achteruit en bleef op een afstand naar me kijken. Ik boog naar hem toe en zoende zijn lippen maar hij zoende niet terug. Ik legde mijn hand op zijn hoofd en wreef de stoppels heen en weer. Toen vroeg ik hem wie zijn haar op zondag knipte.

'De kapper,' zei hij.

'Is die dan open?' vroeg ik.

'Voor mij wel,' zei hij.

Frits maakt er geen punt van om een ochtend van de universiteit weg te blijven. Soms zegt hij zelfs alle afspraken met zijn patiënten af. Zijn bezoek aan de kapper verzuimde hij echter nooit. Wanneer hij bij me bleef slapen stond hij op terwijl ik nog sliep om er op tijd te zijn. Op dagen dat ik geen les moest geven en hij geen college had, was hij tegen negen uur terug en dronken we samen koffie. Boven heb ik een kamer voor hem ingericht met een tafel, een stoel en een boekenrek, zodat hij rustig kan werken aan zijn boek. Het is mogelijk dat Frits onze verjaardag niet vergeten is en dat hij mij luie ochtenden samen in bed cadeau doet. Maar misschien heeft de kapper zijn zaak gesloten. Of heeft Marjon hem de oren afgezaagd. Allemaal vragen die ik niet stel.

Frits brengt altijd snijbloemen voor me mee. In het

begin liet hij ruikers bij mij thuis afgeven. Vrachten bloemen in alle tinten van roze, 's anderendaags geel, dan wit, dan blauw. Ik begon vazen te kopen. Brede hoge vazen voor de eerste dagen, smalle vazen voor de laatste roos van het boeket. Frits deed er zijn beklag over dat ik de bloemen te lang liet staan. 'Niets is zo deprimerend als verslenste bloemen,' zei hij. Ik antwoordde dat niet alle bloemen verwelken, dat sommige ruikers verdrogen. Rond die ruikers bond ik een eindje touw en hing ze omgekeerd aan de muur in de tuin. Weldra hing er naast elke bak een ruiker. 'Hou jij van symmetrie?' vroeg Frits toen hij de afwisseling van bak en ruiker overschouwde. Het was in de dagen voor we afgesproken hadden elkaar niet te analyseren, maar ik had al geleerd dergelijke vragen onbeantwoord te laten. Wanneer ik Frits vroeg wat hij tegen Marjon zei telkens als hij naar mij kwam, vroeg hij of ik dat dan wilde weten. En waarom. Connie had me verteld dat in haar studententijd het gerucht ging dat Marjon een minnaar had. Over Frits had ze nooit iets opgevangen. 'Hoewel,' voegde ze eraantoe, 'psychoanalytici en hun patiënten... het zou me sterk verwonderen. Hij zou alleszins een uitzondering zijn.'

Vragen die ik wou stellen maar nooit over mijn lippen kreeg. 'Hou je van me?' 'Van wie hou je het meest, van haar of van mij?' 'Vind je me mooi?' 'Denk je aan me wanneer je bij haar bent?' Stuk voor stuk retorische vragen. 'De patiënt geeft blijkt van castratievrees,' diagnostiseerde ik binnensmonds. 'Wellicht een slecht verwerkte oedipale fase. En penisnijd natuurlijk. Penisnijd is een niet te onderschatten factor.' Ik durf hem mijn dromen niet te vertellen. En nog minder mijn fantasieën. Officieel heet het dat ik nooit droom. En nog minder fantaseer.

Na drie maanden kwam er een einde aan de dagelijkse levering bloemen. Eén vaas volstond nu. Telkens als hij langskwam, gooide ik de oude ruiker weg, ongeacht of die nu verwelkt was of niet, en zette de nieuwe bloemen in de vaas. Het was zomer en de bloembakken stonden in bloei. Frits deed niet langer zijn beklag over de betonnen muur. Wanneer het weer het toeliet aten we buiten aan de tafel die ik gezet had in het stuk tuin dat aan het oog van mijn buren onttrokken is. Niet dat ik me inbeeldde dat zijn aanwezigheid hun opmerkzaamheid zou ontgaan. In de streek waar ik woon is het ongebruikelijk voor jonge vrouwen om alleen te wonen. In de regel wonen ze in bij hun ouders tot de dag waarop ze huwen, of tot hun ouders allebei overleden zijn. Dan blijven ze alleen in het huis achter.

'Een huis voor jou alleen?' had de huisbaas gevraagd toen ik inlichtingen kwam inwinnen. 'Wat ga jij doen met zo'n groot huis? En kun jij dat wel betalen?'

Pas toen hij hoorde dat ik les geef en een voltijdse betrekking heb, was hij bereid me een kans te geven.

'Maar ik zie niet in wat je hier komt zoeken,' zei hij.

Het nadeel van buiten wonen is dat je een wagen nodig hebt. Frits parkeert de zijne altijd voor de deur. Een witte BMW. De buren zouden wel blind moeten zijn.

Vroeger toen we allebei studeerden, woonden Connie en ik samen op kamers in de stad en het leek vanzelfsprekend dat we samen zouden blijven omdat Connie noch ik trouwplannen had. 'Mens wat wil je je hier gaan begraven,' zei Connie toen ik haar het huis toonde. 'Ik blijf in de stad.' Indien de berekeningen van mijn moeder klopten, hadden Connie en ik nog drie jaar de tijd om aan een man te geraken. 'Kind,' zei mijn moeder altijd, 'als je op je vijfentwintigste geen huwelijk in het vooruitzicht hebt, dan kan je het vergeten. Dan moet je je tevreden stellen met een gescheiden man. Of een getrouwde man.'

Getrouwde mannen kunnen scheiden. Gescheiden mannen kunnen hertrouwen. Zelfs met vrouwen van boven de vijfentwintig. Verboden vraag: 'Zou je voor mij van Marjon scheiden?' Connie heeft een vriend nu. Hij is niet getrouwd en niet gescheiden en toen ik hen laatst samen zag waren ze op zoek naar een flat. Vroeger ging er geen week voorbij of Connie belde en we maakten een afspraak. Nu ontmoeten we elkaar een enkele keer voor een lunch in de stad. Wanneer ze vertelt over een servies of een stel lakens dat ze wil kopen, breekt ze het gesprek abrupt af en zegt, 'Sorry, ik verveel je.' Connie weet niet dat toen Frits voor het eerst zou blijven slapen, ik een donsdeken en bijpassende handdoeken en kussenslopen ben gaan kopen. Ik dacht: 'Nu zal hij me eindelijk zoenen,' en reed terug naar de stad en kocht parfum en een satijnen slipje en b.h. 's Avonds vroeg Frits me om al naar boven te gaan, want hij wou rustig enkele yoga-oefeningen doen. In de badkamer gooide ik mijn satijnen slip en b.h. in de wasmand, en kroop onder de donsdeken. Wat later kwam Frits de slaapkamer binnen in een wit met blauw gestreepte pyjama. Hij zoende me op mijn voorhoofd en wenste me welterusten.

'Ga je meteen slapen?' vroeg ik.

'Ja,' zei hij, 'morgen is het weer vroeg dag.'

Toen ik zeker was dat hij sliep, stond ik op en trok in de badkamer mijn nachthemd aan. Het flesje parfum gooide ik in de vuilnisbak. 's Morgens lag hij niet naast me en ook beneden vond ik hem niet. Ik wist toen nog niet dat hij nooit een knipbeurt bij de kapper oversloeg en dacht dat ik hem voor het laatst had gezien. Om negen uur was hij terug. Hij had een krentenbrood gekocht. Ik zette koffie en we ontbeten in de tuin al was het oktober en herfst. Ik zou Frits niet hebben kunnen analyseren, zelfs indien we elkaar niet beloofd hadden dat niet te doen. Toen hij mij een maand of vijf voordien begon op te bellen en bloemen te sturen veronderstelde ik dat hij wou wat volgens mijn moeder alle mannen willen. De logica van zijn gedragingen ontging me. Ik had nog nooit een man ontmoet die handelde zoals hij. Als je in zijn geval nog van handelen kon spreken.

Frits en ik leerden elkaar kennen op een bijeenkomst voor oud-studenten psychologie. Op de receptie sprak ik met de handvol mensen die ik kende van vroeger en ging toen bij het raam wachten op Connie. Buiten scheen de zon. Er stonden bloembakken op de vensterbank al waren de ijsheiligen nog niet gepasseerd. Ik draaide mijn gezicht naar de zon en sloot mijn ogen.

'Waarom gaat u niet buiten zitten?' hoorde ik iemand zeggen.

'Ik wacht op mijn vriendin,' antwoordde ik.

De man had kort, opgeschoren haar.

'Van Neerschoten,' zei hij en stak een hand naar me uit. 'Frits van Neerschoten. Zullen we buiten op die bank wat praten tot uw vriendin klaar is?'

We praatten over recepties en het soort bijeenkomsten dat hier vandaag plaatsvond.

'Droomt u vaak 's nachts?' vroeg hij plots.

'Nooit,' loog ik. Ik wist van Connie dat van Neerschoten psychoanalyticus was.

'Fantaseert u soms?'

'Neen,' loog ik opnieuw.

'Hebt u telefoon?'

'Ja,' zei ik.

Hij zei dat hij mij zou bellen, gaf mij een hand, boog en verdween.

'Dat was van Neerschoten,' zei Connie en kwam naast me op de bank zitten. 'Wat wilde hij van je?'

'Hij wou weten of ik droomde. En of ik telefoon had.'

's Anderendaags belde Connie om te zeggen dat van Neerschoten getrouwd was. Kort daarna belde hij zelf.

'Met Frits,' zei hij.

'Dag,' zei ik.

'Hoe gaat het?' vroeg hij.

'Goed,' zei ik. 'Ik ging net de deur uit om les te gaan geven.'

'Doe dat dan,' zei hij en legde neer.

In de wagen onderweg naar school bedacht ik dat ik Frits had moeten vragen hoe hij mijn nummer kende. En of hij zou terugbellen. De volgende dag waren de eerste bloemen er. Terwijl ik ze in een vaas schikte ging de telefoon.

'Hoe vind je de bloemen?' vroeg hij.

'Mooi,' zei ik.

'Ik kom morgen langs,' zei hij en legde neer.

In bed bedacht ik dat ik die man helemaal niet kende. Dat ik niet wist waarover ik met hem zou moeten praten. Dat mijn moeder me geleerd had dat mannen nooit zomaar bloemen sturen. Dat ze altijd iets in hun schild voeren. En dat een geschenk aanvaarden zoveel is als ja zeggen. Ik hoopte dat het morgen mooi weer zou zijn. Dan konden we het huis uit en gaan wandelen.

Frits bleef maar een uurtje. Hij had die middag vijftien patiënten gezien en snakte naar koffie. Hij vertelde over één van zijn patiënten die aan claustrofobie leed en zijn spreekkamer niet binnen wou tenzij hij alle ramen wagenwijd open zette.

'In de winter is dat wel erg onpraktisch,' zei ik.

Hij vroeg me aan welke fobieën ik leed.

'Geen enkele,' zei ik.

'Goed,' zei hij en zoende me op mijn voorhoofd. 'Ik bel je nog wel.'

Toen hij het huis uit was besloot ik hem bij gelegenheid te vragen mij nooit te analyseren.

'Beloofd,' zei hij, 'maar hetzelfde geldt voor jou.'

'Wat zou ik jou analyseren,' had ik gezegd.

Verboden vragen: 'waarom kan ik je nooit bellen?', 'waarom geef je mij je nummer niet?', 'waarom bepaal jij altijd wanneer we elkaar zien?' Connie zegt dat Marjon de naam heeft erg knap te zijn. Wachten op telefoontjes. Na school me naar huis haasten voor het geval dat de telefoon zou rinkelen. Marjon is een knappe vrouw. Waarom zoen je me alleen op mijn voorhoofd? Waarom raak je me niet aan? Zoen je Marjon ook nooit? Waarom kom je hier? Kom je hier wanneer Marjon bij haar minnaar is?

Wanneer Frits blijft slapen, maak ik altijd iets lekkers voor hem klaar. Meestal eten we bij kaarslicht en luisteren we naar Brahms of Bruch. Omdat het vandaag onze verjaardag is heb ik een fles champagne gekocht. Even overweeg ik om de fles te houden voor morgenvroeg in bed, maar bedenk dan dat Frits niet de man is om 's morgens in bed champagne te drinken. Eigenlijk verwacht ik dat Frits even vroeg zal opstaan als anders, ook al moet hij er niet uit voor de kapper, maar wanneer ik 's morgens wakker word, ligt hij naast me en ik nestel me tegen hem aan.

'Je bent nog niet op,' zeg ik.

'Neen,' zegt hij.

'Voor jou is dit uitslapen,' zeg ik. 'Halfacht en Frits van Neerschoten ligt nog in bed. Dit is een historisch ogenblik.'

134

'Ik wou je een voorstel doen. Een Weense collega heeft me het gebruik van zijn flat aangeboden voor de zomer. Hij zit voor twee maanden in Leningrad. Het punt is dat ik er meer voor voel om die twee maanden hier onder te duiken. Post kan ik laten doorsturen en telefonisch ben ik niet te bereiken. Ik zeg gewoon dat er geen telefoon is.'

Het lijkt me een vreemd idee dit huis als een schuilplaats te gebruiken. In deze streek weten de mensen wie bij wie op bezoek gaat. En voor hoelang. En hoe vaak. Men weet wie post uit het buitenland ontvangt. En hoe regelmatig. Anonimiteit bestaat hier niet.

'Je zegt niets,' zegt hij.

'Je overvalt me een beetje,' zeg ik.

'Vind je het goed als ik hier kom in de zomer?'

'Ja natuurlijk,' zeg ik en krijg een zoen op mijn voorhoofd.

Ik vraag me af wanneer voor Frits de zomer begint maar stel hem deze vraag niet. Hij heeft het druk en brengt meer en meer tijd door op zijn kamer. Als zijn boek in de herfst niet af is, krijgt hij moeilijkheden met zijn uitgever. Zijn haar wordt langer. Waar vroeger stoppels stonden groeit nu lichtgolvend haar.

Half juni. Connie en haar vriend zijn in Griekenland. Oorspronkelijk zouden Connie en ik samen gaan maar het komt ons allebei goed uit dat dit niet doorgaat. In de herfst gaat Connie trouwen. Frits belt tussen twee patiënten door om te vragen of ik hem morgen rond drie uur kom ophalen aan het vliegveld.

'Je hoeft niet vroeger dan drie uur te komen,' zegt hij. Want anders sta ik afscheid te nemen van Marjon, denk ik in zijn plaats.

Frits verlaat het huis nooit. Hij zit op zijn kamer tussen notities, artikels, boeken en steekkaarten. Als ik hem zijn post breng, kijkt hij nauwelijks op van zijn blad. Naar beneden komt hij enkel om te eten. Of om Marjon te bellen. Ik hou me schuil in de keuken, mijn handen over mijn oren om niet te horen wat hij tegen haar zegt. Dagen waarop het lijkt dat de zomer eeuwig zal duren. Licht tot elf uur 's avonds en dan opnieuw om vijf uur of vroeger. Zonlicht dat te sterk is om erin te lezen. De krant ligt in mijn schoot, valt op het gras. Te warm om te eten. Een schijfje tomaat. Komkommer. Vis. Frits draagt nog steeds de wit met blauw gestreepte pyjama, maar de donsdeken schopt hij weg. Soms zoent hij nu mijn ogen voor het slapen gaan in plaats van mijn voorhoofd. Eerst links, dan rechts, zorgvuldig, bedachtzaam. Voor vrijen is het toch te warm, denk ik. Hondsdagen. IJl en de geur van gras. Bomen hard groen afgetekend tegen blauwe lucht. Soms ga ik wandelen. Maar nooit lang.

Op een dag komen er luchtballons over het dorp. Blauwe, gele, groene, rode, met strepen, bollen, met driehoeken, met letters. Iedereen komt uit zijn tuin, de straat op. Zo laag vliegen ze dat je de vlam die de lucht verwarmt, kan horen en de mensen die in de korven zitten, kan toeroepen. We blijven ze nakijken en nawuiven tot lang nadat ze zelfs geen stipjes meer zijn in de lucht. Als ik het huis weer binnenga, komt Frits de trap af en vraagt of ik de luchtballons heb gezien.

'Ik wil naar buiten,' zegt hij.

'Wacht,' zeg ik en zet mijn zonnehoed op zijn hoofd en mijn zonnebril op zijn neus. 'Vergeet niet dat Frits van Neerschoten in Wenen is.'

Onderweg komen we langs een boomgaard en Frits klautert over de haag en vult mijn hoed met kersen.

'Maar de bril moet je ophouden,' zeg ik.

's Avonds komt hij bij me in de tuin zitten. Geen van beiden zeggen we een woord, al lezen we geen van beiden een boek. Er is enkel het geluid van insekten, en af en toe, ver, van een vliegtuig.

's Anderendaags komt Frits rond elf uur naar beneden. Hij draagt de zonnehoed en zonnebril van gisteren, maar nu heeft hij ook een wikkelrok en een t-shirt van me aan. Over zijn schouder hangt een handtas.

'Hoe vind je me?' vraagt hij.

'Als je een rok wil dragen moet je het haar van je benen halen,' zeg ik. 'Maar het staat je wel.'

Frits verdwijnt naar boven en komt met geschoren armen en benen de trap weer af.

'Denk je niet dat de hoed en de bril volstaan?' vraag ik.

'Het is toch leuker zo,' zegt hij.

Hij probeert kleinere passen te nemen en geeft me een arm om gelijke tred met me te houden. Die avond inspecteert hij mijn kleerkast.

'Heb jij eigenlijk lingerie?' vraagt hij.

Ik toon hem de satijnen slip en b.h. die ik indertijd gekocht heb voor onze eerste nacht samen, maar het slipje is hem te klein, en zijn rug is te breed voor de b.h.

'Morgen ga ik winkelen,' zegt hij. 'Kom je mee?'

'Is dat niet te gewaagd?'

'Niet als jij me helpt me te kleden en op te maken.'

'En je boek dan?'

'De boog kan niet iedere dag gespannen staan.'

'Ik denk dat ik thuisblijf. Ik laat me liever verrassen door je aankopen. Vergeet je benen niet te scheren.'

Heel de dag zit ik in de tuin en laat me roosteren in de zon. Veel te heet om buiten te zitten. Weer om huidkanker van te krijgen. Maar ik verfoei de geur van zonneolie. Zeker als het zich mengt met zweet. Eén vraag kwelt me meer dan alle andere: of het allemaal gepland was. Of deze maskerade zorgvuldig voorbereid was. En of hij daarom maanden geleden besloten had zijn haar niet meer te laten knippen. Frits is opgetogen als hij thuiskomt. Hij heeft bloesjes en jurken gekocht en niemand heeft hem op straat herkend.

Hij geeft een fortuin uit aan kleren. Iedere dag heeft hij iets nieuws: een pruik, oogschaduw, sandalen, lingerie. Ik moet hem alles leren: hoe je ogen opmaakt, wenkbrauwen epileert, haar van onder oksels weghaalt, lippen meer kleur geeft. Maar ik weiger mee kleren te gaan kiezen.

'Te heet,' zeg ik, 'te heet voor de stad.'

Ik toon hem hoe hij met koude was het haar van zijn benen kan weghalen. En hoe hij zijn baard kan camoufleren met huidkleurige crème. Als hij zijn haar wast, draai ik er krulspelden in en leer hem het achteraf uit te kammen en te kappen. Frits wil zijn vermomming uittesten en ik stem toe dat we op een terrasje iets gaan drinken, of samen wandelen in het park. Arm in arm. Twee vriendinnen. 's Nachts draagt Frits de wit met blauw gestreepte pyjama en ik denk, 'er is niets aan de hand. Dit is een spel. Er is niets aan de hand.'

Half augustus en de hemel is bewolkt. Frits zet geen letter meer op papier. Mijn hulp heeft hij niet meer nodig om zich op te maken. Als hij niet in de badkamer voor de spiegel staat, gaat hij winkelen. Geld is geen probleem voor Frits en ik bijt op mijn tong om daar niet sarcastisch over te doen. Die avond draagt Frits de wit met blauw gestreepte pyjama niet. Hij komt de slaapkamer binnen in een roze satijnen nachthemd, diep uitgesneden en afgezet met kant. Zijn schouders zijn veel te gespierd voor het ding. Ik wil hem zeggen dat dit de afspraak niet was. Dat hij 's nachts een man is al zoent hij enkel mijn voorhoofd. Mijn ogen. Dat hij 's nachts, al zijn zijn benen glad onthaard, al zijn de holtes van zijn oksels kaal, al zijn zijn wenkbrauwen een fijne lijn, al krult zijn haar in zijn nek. Maar er was helemaal geen afspraak over wie wat aantrok en wie welk spel speelde.

138

'Vind je me mooi?' vraagt hij.

'Ik weet het niet,' zeg ik.

'Zoen me,' zegt hij.

Met mijn lippen tast ik zijn lippen af, proef met mijn tong en voel hoe zijn lippen mijn tong aftasten en zoenen. Ik laat mijn hand glijden over zijn satijnen nachthemd, over de gladde huid van zijn benen, bal mijn handen in zijn okselholten en zoen en zoen. Wat ik niet durf, is voelen of onder het roze satijn van zijn nachthemd een harde penis schuilgaat. En dus zoen ik en zoent hij en vraag ik me af wat verder van me verwacht wordt. Hij geeft geen enkele aanwijzing.

Iedere nacht nu verschijnt Frits in zijn roze nachthemd naast mijn bed. Hij gaat liggen en vraagt me hem te zoenen, te strelen, te zoenen. Soms droom ik dat ik een eindje touw bind rond zijn penis die dan langzaam uitdroogt, verschrompelt en inkrimpt. Soms weet ik niet meer of ik het gedroomd, gedacht of gedaan heb. Of hij het me ingefluisterd heeft, zacht in de nacht, mij het touw heeft aangereikt. Ik durf niet onder zijn nachthemd te voelen al kan ik vermoeden wat er schuilt.

Als ik ga wandelen alleen langs de bosrand warrelen dorre blaren op waar ik mijn voet neerzet. De lucht is altijd bewolkt nu, soms een opklaring, nooit voor lang. Boven in de badkamer voor de spiegel merkt Frits niet hoe de planten in de bloembakken verschralen. Bloemblaadjes vallen af zonder dat er nieuwe voor in de plaats komen. Een nieuw schooljaar begint en ik ben vaak weg nu overdag, maar Frits spreekt nog niet over zijn vertrek. Zijn wenkbrauwen, oksels en benen onthaart hij niet meer en ik weet dat het nu niet lang zal duren voor ik weer alleen woon in dit huis, alleen slaap in dit bed. De laatste nacht draagt Frits opnieuw de wit met blauw gestreepte pyjama en ik zoen hem niet. Om negen uur voer ik hem naar de luchthaven. Ik vraag hem niet hoe en wanneer hij thuisgeraakt.

'Ik bel je nog wel,' zegt Frits en zoent me op mijn voorhoofd.

'Ik hoop dat je geen problemen krijgt met je boek,' zeg ik.

'Maak je geen zorgen,' zegt hij.

Ik rij naar huis, sneller dan goed is voor mijn wagen en slik krampachtig de krop weg die zich vormt in mijn keel. In de badkamer en de slaapkamer raap ik alle spullen bijeen die Frits zich deze zomer aangeschaft heeft, gooi ze in een wasmand en breng ze naar een winkel voor tweedehandse kledij. Thuisgekomen maak ik de bloembakken leeg in een grijze plastic vuilniszak en zet alle ramen wagenwijd open al miezelt het. De telefoon rinkelt, maar ik neem niet op. Wat later bel ik de huisbaas en zeg hem dat ik van plan ben te verhuizen. Ik vraag hem of hij de opzegtermijn zou kunnen inkorten. 'Zie je wel,' zegt de man, 'ik had het je gezegd. Een huis buiten is niets voor een vrouw alleen.'

'Voor twee vrouwen ook niet,' zeg ik en leg de hoorn neer.

's Nachts kan je de misthoorn horen. Ik lig in het bed dat we samen hebben getimmerd – vier planken aan elkaar genageld met wat latjes ertussen waarop de matras rust. En hij die zei: 'Zo zal ik je altijd weten te vinden. Jij bent de vrouw die een bed kan timmeren.' En hij die zei: 'Dat is geen misthoorn, dat is de coelacant.'

De misthoorn was mijn talisman. Zolang zijn doffe toet weerklonk hoefde ik niets te vrezen. Hij hoorde de roep van de coelacant, ik dacht aan veilige havens en bakens op zee. Hij zag verre einders en diepe oceanen, ik droomde van knusse avonden en een huiskamer met een haard.

'Wat is een coelacant? Bestaat die echt of is het een mythische vis?'

'Zeg dat niet of je ontstemt hem. De coelacant bestaat maar laat zich zelden zien. Het is ons privilege dat we hem mogen horen.'

'Dat is de misthoorn,' zei ik.

'Oh nee,' zei hij, 'het is de coelacant.'

Het strand is breed, waanzinnig breed. De eerste dagen raak ik er niet op uitgekeken. Bij laagwater sta ik aan de voet van de laatste duinenrij en kijk. De zee is een verre, blauwe streep. Plassen water zijn op het strand achtergebleven, weerspiegelen hoge lucht en dunne wolkenslierten. Waar ik sta komt de zee alleen bij springvloed. Bij hoogwater blijft het strand tientallen meters breed. Ieder jaar opnieuw ben ik erdoor verrast en vat post op de top van een duin. Dit is het uitzicht dat ik mis wanneer ik terugkeer naar de stad en dan weer vergeet zodat het me overrompelt wanneer ik de kruin van dit duin bereik. Hoe hoger ik klim, hoe lager de kim. Ik ben een stugge binnenlander die de zee voor het eerst ontdekt.

We loten om de kamers en ik heb geluk. 'Vooraan links', staat op mijn briefje, wat wil zeggen, met uitzicht op zee; wat wil zeggen, waar ik vroeger met Johan sliep. De kinderen slapen onder het dak. 'Wanneer er ooit kinderen zijn, leggen we ze onder het dak,' had hij gezegd. 'Plaats zat.' We stonden in het deurgat van de zolderetage, armen over elkaar geslagen, het jonge stel dat de te verbouwen woonruimte overschouwt. Hier komt de kinderkamer. Ginder installeren we een badkamer. Daar bouwen we een schouw.
'Wat doen jullie?' had Frie beneden geroepen.
'We kijken waar we de kinderen zullen leggen.'
En ook Frie was naar boven gekomen en had zich bij ons in het deurgat gevoegd.
'Te gek,' had ze gezegd.
Het huis was zijn ontdekking. De eerste zomer had hij er gratis gelogeerd. Hij knapte er wat klusjes op voor de eigenaar, een oude man die dankbaar was dat iemand bereid was er zijn intrek te nemen.
'Het had jaren leeggestaan, maar was minder onderkomen dan de oude dacht. Deze muren blijven nog lang overeind.'
'En het dak? Dat lekte toch?'
'Wat nieuwe pannen en het was geklaard. De kinderen zullen droog liggen.'
Hij had er een paar zomers met vrienden gezeten, mannen onder elkaar die het huis als kampeerruimte gebruikten. Het dak bijvoorbeeld was hun een zorg.

Er werd gekookt, vertelde Pat, maar niet zoals dat later gebeurde. De meesten zochten hun heil in blikken, wie spaghetti kon koken was een meesterkok. Johan bracht er niets van terecht. Die kon nauwelijks een aardappel schillen. 'Wij waren ook nooit eerder van huis geweest,' zei Pat. 'Samen hadden wij veel te veel moeders.' Niemand zou het bestaan hebben een meisje mee te brengen zolang Johan dat niet deed. En Johan dacht aan geen meisjes. Hij was de ondernemer van tochten, de maker van plannen, de sporter. Wie het met een meisje wou aanleggen moest dat in het geniep doen. Pat ontmoette meisjes in de duinen of maakte afspraakjes op de dijk. 'Ik voelde me een puber van veertien op vakantie met strenge ouders. Gelukkig leerde hij jou kennen. Johan was een laatbloeier, maar toen was er geen houden aan. En wij, zijn vrienden in het huis aan zee, wij bloeiden mee.'

'Bedtijd,' roept Frie.

'Doortje heeft honger.'

'Doortje heeft altijd honger.'

'Zijn er al boodschappen gedaan?'

'Neen, maar ik heb eten mee van thuis.'

Frie is de vrouw van de mondvoorraad. Ook vroeger voor er kinderen waren, sleepte ze etenswaren aan.

'Jij doet geen inkopen,' zei Pat. 'Jij hamstert. We blijven hier maar een maand.'

Pat geloofde zoals ik in de hap tussendoor wanneer honger dreigde, een boterham in de keuken of een stuk fruit. Frie kookte toen al maaltijden met drie gangen. Ze was een mollig meisje.

'Wat erbij komt loop je er weer af,' zei ze en zette het toetje op tafel.

'Wat is dat?'

'Trifle,' zei ze. 'Een Engels recept. Trifle wil zeggen: iets van niets, een kleinigheid, lucht. Je kan er niet van verdikken.'

143

'Alleen zit er room, vla, cake en cognac in,' zei Pat. 'Wanneer jij ooit zwanger wordt, Frie, zal geen mens het merken. De gynaecoloog zal de baby tussen je vetplooien vandaan plukken.'

'Ik vind Rubensiaans mooi,' zei Frie en schepte haar bord vol.

Van Pat krijgen we nu kaartjes uit India, Kars zit in Australië, en Simon in Afrika, maar waar Johan uithangt weet geen mens. Ze zijn uitgezwermd naar de vier uithoeken der aarde. Af en toe worden we door een kaartje bereikt. De kinderen zijn in hun plaats gekomen, zeven in totaal, waarvan zes onder dit dak verwekt, maar niet door de vrienden van weleer, de mannen die het huis hadden betrokken lang voor er vrouwen werden getolereerd, lang voor ze mannen waren.

Met zeven kinderen kan je je geen lege voorraadkast permitteren. Het huis is afgelegen, klaar voor de sloop wordt gezegd in het dorp, maar de eigenaar weigert het te verkopen en de gemeente kan niets tegen hem ondernemen.

'En onteigenen?'

'Kunnen ze niet. Dit is beschermd gebied.'

Wanneer het regent lekt het dak, de pannen die Johan ooit verving ten spijt. We stellen de bedden strategisch op, tussen de metalen emmers die voor de druppels worden neergezet. De regen doet dienst als wiegelied. Van de verbindingen met de buitenwereld wordt nauwelijks gebruik gemaakt. Wie wil kan bellen – de telefoon staat in de hal en is vreemd genoeg aangesloten; wie wil kan de krant lezen – die wordt iedere dag besteld; wie wil kan naar het nieuws op de radio luisteren. De kinderen zeuren om de televisie die er niet is. Wanneer het weer slecht is nemen we hen mee naar de bioscoop. Ze zijn bang van de slangevrouw en de monsterkip, kruipen op onze schoot, verbergen hun gezicht in ons haar, maar willen niet weg voor de film uit is. Goddank slapen ze 's middags. 'Leve het middagdutje,' zegt Frie en zet de fles cognac op tafel.

'Is het niet te vroeg voor alcohol?'

'Nooit te vroeg,' zegt Frie.

Frie is niet langer mollig maar dik. Vet, zo ontdek ik, heeft zijn voordelen. Haar gezicht is het enige waar geen rimpels in zitten, al is zij de oudste van ons vieren.

's Nachts droom ik het perfecte gedicht dat over dit huis zou geschreven kunnen worden. Ik weet dat ik het moet noteren, dat ik het anders zal vergeten, maar ik vind geen papier en slaag er niet in het uit mijn hoofd te leren. 's Morgens herinner ik mij geen woord.

'Waarom is er niemand in dit huis die schildert?' zeg ik aan het ontbijt.

'Wat zou er geschilderd moeten worden?' vraagt Els en werpt een blik op het plafond en de muren.

'Dat,' zeg ik en wijs naar de zee, het strand, het helmgras. Maar ik bedoel: ons. Wij. Voor we moeders waren. Voor we echtgenoten waten. Toen we de meisjes waren die mee op vakantie mochten met de gezworen kameraden, die meegingen naar het huis aan zee dat zij ontdekt hadden, tot spijt van wie het benijdde, en benijd werden we, Frie, Els, Inge en ik, vriendinnen van Pat, Simon, Kars en Johan, mannen, vrijbuiters, avonturiers. Er bestaan zelfs geen foto's. Niemand die eraan dacht die tijd vast te leggen. Niemand die stilstond bij de mogelijkheid dat de zomers samen niet zouden blijven duren. Zo jong waren wij toen. Ik droeg mijn haar in een hoge paardestaart omdat Johan dat mooi vond. Had hij een kaal hoofd mooi gevonden, ik had mijn haar afgeschoren. Zo gek was ik in die tijd. Te gek, zou Frie hebben gezegd.

Het kind dat bij mij hoort heet Natasja, een domme naam, overhaast bedacht om het onheil af te wenden toen haar vader vastbesloten leek haar Johanna te dopen. Maandenlang hadden we lijstjes namen opgesteld, ze aan elkaar voorgelegd, ze met elkaar besproken. Namen werden uitgestreept of aangekruist. Een jongen, zo besloten we, zou Vincent heten. Een meisje zouden we Edith noemen. Na de bevalling, toen ze bij ons lag, bleek die naam niet te voldoen.

'Zij is geen Edith,' zei haar vader.

Haar oogleden waren opgezwollen, haar hoofd was lang uitgerekt, ze schreeuwde zonder ophouden.

'Morgen ziet ze er beter uit,' had de gynaecoloog gezegd. Hij had haar met een zuignap gehaald.

'Wat vind je van Trolletje? Of Dreinertje?'

'Johanna,' zei hij alsof de naam hem door de goden werd ingefluisterd. 'Ze zal Johanna heten.'

'Neen,' zei ik.

'Waarom niet?'

'Zij is een Natasja,' zei ik om iets te zeggen.

'Natasja? Ben je gek!'

Ik begon te huilen, zei dat hij niet van me hield. 'Mijn eerste kind en ik mag zelfs haar naam niet kiezen.' Hij zei dat hormonen mij parten speelden, dat we de beslissing tot de volgende dag zouden uitstellen. Ik bleef huilen. De bevalling was lang en moeilijk geweest. Ik kreeg mijn zin.

Een maand lang zijn de kinderen van ons allemaal. Om de beurt stoppen we ze in bad, allemaal tegelijk met uitzondering van de baby van Inge die daar te klein voor is; om de beurt vertellen we een verhaaltje in de ruimte onder het dak, zoentjes uitdelen, onderstoppen, neuzen helpen snuiten, voorzichtig tussen de emmers en bedden laverend. De kinderen schooien om aandacht bij wie bereid is hun die te geven. Hebben ze pijn dan zoeken ze troost in de eerste armen die om hen heen worden geslagen. Willen ze eten dan bedelen ze bij de vrouw die het dichtst bij hen staat. In dit huis zijn wij hun moeders en zijn zij onze kinderen. Maar Natasja hou ik scherper in het oog dan de anderen. Ik kijk hoe ze zich gedraagt in de groep. Of ze goed meespeelt. En aan tafel of ze genoeg eet. En of ze haar deel krijgt. En op het strand of niemand haar zand in de ogen strooit. Ze kan het het best vinden met Eefje, de oudste van de bende. Ze is zes geworden en gaat straks naar de lagere school.

'Als die de kleintjes maar kan bemoederen,' zegt Frie.

'Volgend jaar wanneer we hier zijn kan ze lezen en schrijven.'

'Waar is de tijd. Ik zie Frie nog zitten met Eefje aan haar borst.'

'Die zomer zijn Jantje en Ewout gemaakt.'

'Het was een zomer voor zonen.'

Alleen Natasja is niet onder dit dak verwekt. Als enige van de zeven verjaart zij niet in het voorjaar. Frie neemt het me kwalijk dat ik de traditie niet in ere heb gehouden. 'Het was een ongelukje,' zei ik. 'Ik kon haar toch niet aborteren.' Maar het was geen ongelukje en dat weet Frie ook. Ik zou het niet verdragen hebben in dit huis, onder dit dak. Ik zou gehuild hebben en met mijn tanden hebben geknarst en wat een kind zou daaruit zijn voortgekomen.

Maar Frie zei: 'Wij hebben hier toch ook andere mannen gekend.'

Els krijgt bezoek en alles wordt in gereedheid gebracht. De kinderen gaan in bad, het huis wordt geveegd, we maken ons op, koken een uitgebreide maaltijd. Rond elf uur beginnen Frie en Inge te geeuwen en verklaren moe te zijn. 'We gaan naar boven,' zeggen ze, zodat Els en haar man zich niet hoeven te generen om hetzelfde te doen. Hun bed, zo weet ik, is met rozenwater besprenkeld en met bloemen versierd, een hebbelijkheid van Frie die dat soort attenties niet kan laten. Een half uur later sluipen Inge, Frie en ik in een deken gewikkeld naar beneden en gaan op het strand zitten luisteren naar de zee.

'De sterren staan goed,' zegt Frie.

'Was het vlees niet te gepeperd?' vraagt Inge.

'Peper kan geen kwaad.'

Jammer voor Frie dat we hier pas in juli aankomen want anders zou ze ons tijdens de zonnewende kunnen laten copuleren. Ik vraag me af welke kruiden ze in het eten heeft gegooid. De magische mandragora en wilde alruin wellicht, krachtige wortels die mannen geil maken en hun zaad weerbaarder.

'Sien,' vraagt ze, 'krijg jij bezoek dit jaar?'

'Er is niets afgesproken.'

'Hoe zit het met je cyclus?'

'Prima.'

Als het aan haar lag dan zaten we iedere avond met onze kut in een kruidenbad opdat we regelmatig zouden menstrueren.

'Mijn geval was erger dan het jouwe.'

'Ik herinner me de remedie.'

Frie stond voor dag en dauw op om langs de weg of in de wei vers ontloken kruiden te plukken. Ze sleurde water aan uit de rivier, liet het samen met de kruiden koken in een grote metalen teil, goot het uit in het voetbad en zat vervolgens een uur te dampen.

'Verrukkelijk,' zei ze terwijl ze zich droogde.

Frie is nu de trotse eigenares van een regelmatige cyclus en kan bij wijze van spreken op de minuut af het meest opportune moment voor de conceptie berekenen, al krijg ik de indruk dat ze niet meer van plan is de vruchten van die kennis te plukken. Inge suggereerde ooit dat het de kruiden waren die Frie zwanger maakten en niet het sperma van haar man.

'Misschien zou je een kwakje sperma bij het badwater moeten voegen,' zei ze.

'Of radicaal zijn penis meekoken.'

Frie achtte ons geen antwoord waardig. Vroeger zou ik gezworen hebben dat zij als eerste aan nummer drie zou beginnen, maar nu denk ik dat ze het bij twee houdt. Els is zo tenger, je houdt het niet voor mogelijk dat ze een kind kan dragen. Frie heeft de brede heupen en het weidse bekken om tien kinderen op de wereld te zetten. Toch is het Els die nu in het bed met rozenwater ligt.

'Hoe oud is Natasja?' vraagt Frie.

'Ze wordt vier in september.'

'Oh ja natuurlijk. Ze verjaart niet in het voorjaar.'

Ik heb hier met een zwangere buik rondgelopen en Frie niet. Ik was rond als een ton, iedereen dacht dat ik een tweeling zou baren. Eefje, die toen twee was, raakte er niet op uitgekeken. Altijd haar handjes op mijn buik en giechelen wanneer ze beweging voelde. Frie wou een tweede maar haar menstruatie bleef weken uit zonder dat ze zwanger was. Het was toen dat ze met kruiden ging experimenteren. Maar ik heb hier nooit borstvoeding gegeven. Frie had genoeg melk voor iedereen. Hadden we haar gemolken, we hadden geen melk in de supermarkt hoeven te kopen. En Frie zou het leuk gevonden hebben ook.

Vooraan links is de kamer met het bed dat Johan en ik samen hebben getimmerd, niet meer dan vier planken aan elkaar genageld met wat latjes ertussen voor de matras, maar toch leuk om te vertellen, mijn vriend en ik hebben ons bed zelf getimmerd. Frie was er niet bij die eerste zomer. Pat had een andere vriendin, een meisje van wie ik de naam ben vergeten. Maar Els was er, en Inge. Els met lange blonde vlechten, Inge met een bril. Overdag bestonden er geen paartjes. Er werd om beurten gekookt door twee mensen, maar in steeds wisselende combinaties. Ik kookte bijvoorbeeld samen met Els, of met Pat, of met het meisje van wie ik de naam vergeten ben, maar niet met Johan. Idem wat boodschappen doen of schoonmaken betrof. Dat was de onuitgesproken afspraak, daar hielden wij ons aan. Uitstapjes en wandelingen werden samen gemaakt, wanneer er werd gezwommen dan gebeurde dat samen. Maar eigenlijk wachtte ik de avond af en het moment waarop hij zei: gaan we slapen? Niet dat ik niet genoot van het leventje overdag, van het geklets, gelach, gekeuvel. Het was een aangename tijdpassering. We konden tenslotte niet de hele tijd in bed liggen. Ik leerde dat verlangen door zorgvuldige dosering in stand wordt gehouden. Overdag werd hij een ander. Ik keek naar hem en herkende niet de man met wie ik 's avonds naar boven ging. Ik kon beter opschieten met Pat, voelde me vrijer, minder gespannen. Tot hij zei: zullen we? Vrienden maakten er grapjes over. Hoe is het met de commune? Leuke harem heeft die Johan. Ze probeerden uit te vissen hoe we leefden in het huis aan zee, konden hun nieuwsgierigheid niet bedwingen, vroegen of we alles samen deden, met nadruk op alles. Iemand vertelde over een film – Amerika, jaren vijftig – waarin op een feestje jongens hun autosleutels in een zak gooien. Iedereen is uiteraard behoorlijk aangeschoten. Er wordt flink geschud met de zak en één voor één halen de meisjes er een sleutel uit. Bedoeling is dat ze de nacht doorbrengen met de jongen van wie ze de sleutel hebben getrokken. Of ik die film gezien had? Er was een scène waarin de jongens de meisjes zover kregen dat ze hun badpak uitdeden. Het speelde zich namelijk af in een poenig huis, van de vader van een van de jongens, zwembad, bar, biljart-zaal, gigantische tuin. Neen, zei ik, die film heb ik niet gezien. Iedere avond opnieuw sneed het mij de adem af. We zaten samen aan de grote tafel beneden, kaartje leggen, drinken, kletsen, lachen, en hij die zich plots naar me toekeerde en zei: moe? Of: gaan we? Of ge-woon een tik op mijn schouder: kom. Het bleef me aangrijpen dat ik met hem naar boven ging, dat ik met hem de kámer deelde. Vooraan links. Met uitzicht op zee. Had hij me op een avond geen teken gegeven, was hij alleen naar boven gegaan, ik zou geen verzet heb-ben aangetekend. Ik weet niet wat ik gedaan zou heb-ben. Beneden blijven zitten terwijl één voor één ieder-een naar boven trok, wachten tot de nacht voorbij was, tot het dag werd. Ik zou zijn gaan wandelen op het strand en eindelijk de zon hebben zien opgaan. Ik zou verse broodjes hebben gehaald bij de bakker. Ik zou de tafel gedekt hebben voor het ontbijt.

'Voor jou,' zegt Els en ik weet meteen dat het mijn man is.

'Hi,' zeg ik.

'Hi,' zegt hij. 'Hoe gaat het met jullie? Zijn er al kin-deren gemaakt?'

'Misschien. Els heeft bezoek gehad.'

'Ik heb zin om jou te bezoeken, maar ik heb geen zin om jou te bezwangeren.'

'Dat moeten we dan eerst aan Frie voorleggen.'

'Wat draag je?'

'Een mini-rok,' lieg ik. 'Een zwarte.'

'En verder?'

'Die rode b.h. met veters tussen de cups.'

'Zeg nog eens cups.'

'Cups.'

'En verder?'

'Niets.'

'Sien, zeg aan Frie dat ik je op een nacht kom schaken met of zonder haar permissie, en geef een zoen aan Natasja en aan Frie en Inge en Els, en trek een trui aan of je vat kou. Loopt iedereen daar gekleed zoals jij?'

'Ja,' zeg ik, 'een nieuw idee van Frie.'

'Jullie zijn gek.'

'Wie was dat?' vraagt Frie.

'Raad eens,' zeg ik.

Halverwege de vakantie komen ze aan, de kaartjes van Pat, Simon en Kars. Naast de naam van Pat staat die van een vrouw. Sita. Pat zit in India. Die herfst zouden we naar Nairobi gaan. Johan zou in een ziekenhuis gaan werken, ik zou ter plaatse uitzoeken wat ik kon doen. Ik hoorde wel dat hij het altijd had over: ik ga naar Nairobi, terwijl ik zei: wij gaan naar Nairobi, maar ik stond er niet bij stil. Ik geloof ook niet dat hij er iets mee bedoelde. Het was gewoon zijn manier van spreken. In Nairobi is hij een maand gebleven, daarna heeft hij zijn overplaatsing aangevraagd, waarheen heeft geen mens ooit geweten, zijn moeder niet, zijn zus niet en ik ook niet. Frie heeft nog een kaart uit Ouagadougou gekregen. Hij schreef: 'Ik zit op een hotelkamer met televisie en video. Het regent. Morgen pak ik mijn koffer.' En Inge zei: 'Je zou hem toch nooit gehouden hebben. Zo'n man heeft onrust in zijn lijf.' Vreemd hoe ze alle vier vertrokken zijn en wij hier zijn gebleven. Vier uithoeken zijn er op aarde en zes continenten. Afrika, Azië, Europa, Oceanië, Amerika, Antarctica. We zouden in Nairobi zijn aangekomen tijdens het regenseizoen – la grande saison de pluie – gevolgd rond Kerstmis door la petite saison sèche. Zo wetmatig verloopt het leven. Iedereen zei: 'Vergeet je paraplu niet.' En: 'Wat leuk, Kerstmis in de zon.' En: 'Denk je dat ze daar kerstbomen hebben?' Ik beeldde me in dat we in een lemen hut met strooien dak zouden wonen. Door het deurgat zien we de gutsende regen. We vrijen omdat er geen ander tijdverdrijf is. Een hotelkamer met televisie en video hoorde niet bij het beeld dat ik van Afrika had.

Waar ik soms zin in heb wanneer de kinderen in bed liggen en we samen rond de grote tafel zitten, maar wat ik niet durf voor te stellen, is een sessie spiritisme. Je plaatst een glas omgekeerd op tafel, legt in een cirkel alle letters neer van het alfabet, de getallen van een tot tien en de woordjes 'ja' en 'neen'. Ieder van ons zou haar vinger boven het glas moeten houden, het niet aanraken, en zeggen: wij zoeken contact, wij zoeken contact, wij zoeken contact. Het glas zou in beweging komen, wij zouden aan de geest vragen zich bekend te maken, het verleden zou in ons midden vertoeven.

Misschien zouden we elkaar moeten beloven altijd naar dit huis te blijven komen maar zo'n belofte brengt ongeluk. Je zegt: laten we elkaar trouw blijven, en je bedoelt: ik aarzel en voel jouw aarzeling. We houden de kinderen angstvallig in het oog, kijken hoe ze met elkaar omspringen. Wat als ze hier niet meer willen komen? Wat als de mannen verzet aantekenen? En wat als het huis wordt gesloopt? Ik kijk naar de vrouwen die ik als meisjes heb gekend en denk: laten we –

wij vieren – altijd samenblijven. Laten we nooit zeggen: we hebben hier goede tijden gekend. Laten we hier goede tijden kennen. Hoe zullen we zijn wanneer we oud zijn? Vier gerimpelde vrouwen met reuma en artritis en een hoge bloeddruk. Wie van de kinderen zal voor ons zorgen? Welke kruiden zal Frie ons voorschrijven? Welke mannen zullen ons bellen?

Ik lig in de kamer vooraan links, de kamer met het bed dat we samen hebben getimmerd. Ik ben nooit in Nairobi geweest. Frie vertelde ooit een mooi verhaal. We zaten op het strand, het was laat, we hadden de babyfoon bij ons gezet zodat we de kinderen konden horen als ze huilden. Af en toe klonk schor een kuch uit het apparaat. Frie vertelde dat ze gelezen had dat net zoals de zee toeneemt en wegslinkt ook de aarde in voortdurende beweging is. De aarde zet uit en krimpt in, zoals een borstkas lucht inzuigt en uitstoot. Aardgetijden beantwoorden aan zeegetijden. Ik sta op de top van het duin en voel hoe de aarde zwelt en slinkt, hoe Johan, Kars, Pat en Simon ons naderen en dan weer verlaten. De aarde is een reusachtige long.

Vreemd hoe weinig ik me van onze nachten samen herinner. Ik weet bijvoorbeeld niet meer hoe wij vrijden en hoe hij klaarkwam en of ik dat makkelijk deed. Ik herinner me zijn lijf niet. Ik weet niet meer waarover wij praatten en of wij veel praatten. Ik weet alleen dat ik de vriendin was van Johan, het meisje dat met hem naar boven ging, dat met hem sliep in het bed dat we samen getimmerd hadden. Ik droeg mijn haar in een paardestaart omdat hij dat graag zag. Ik was het eerste meisje dat Johan had en iedereen wou weten hoe ik dat had klaargespeeld. En Inge die zei: 'Zo'n man kan je niet houden. Zo'n man heeft onrust in zijn lijf. Zo'n man wil de wereld zien.' Ik herinner me de misthoorn, nacht na nacht, een ver, klagerig geteut, toen net als nu. Ik dacht: de misthoorn is mijn talisman, zolang hij toet hoef ik niets te vrezen. Maar hij hoorde de coelacant. Het levendigst van al herinner ik mij Frie's prachtige, naakte lijf, haar volle witte borsten, haar dijen waartussen Johans lichaam verloren lag, het gebaar waarmee ze hem omhelsde. Daarom zou ik willen kunnen schilderen om dat beeld vast te leggen, hun slome bewegingen, de verstrengeling van hun vlees, en vooral de vrede in hun ogen, seconden voor ze mij in het deurgat zagen staan.

11 *Roza*

Roza heeft nog bij de prins gediend. Op de foto van toen heeft ze lange donkere vlechten, een wit kapje dat met kant is afgezet en een kraakwitte schort die alleen de mouwen en het kraagje van haar bloes vrijlaten.

Ze kijkt een beetje weg van de lens en houdt haar handen op schoothoogte. Op de achtergrond staat een beeld van Onze-Lieve-Vrouw. De foto staat op de kast in Roza's beste kamer. Zoals gebruikelijk is in de streek, wordt Roza's beste kamer gespaard voor bezoek en woont Roza in de keuken, of eigenlijk in de tuin. Roza's tuin is wel vijftig meter diep en zeker twintig meter breed. Ze heeft er wortels en boontjes en kolen en tomaten en prei en nog veel meer. Roza heeft altijd wel iets op te knappen in de tuin. Ze is nooit klaar met schoffelen, harken, mesten en wieden. Onkruid vind je niet bij Roza.

Al negen keer heeft ze de prijs van de plaatselijke Katholieke Tuindersgilde gewonnen. De negen bekers glimmen trots op de kast met de foto van Roza als dienstmeisje. Roza zegt dat het de mest is die het hem doet. Roza zweert bij mest. Elke morgen verzamelt ze de paardestront in de weide aan de overkant van de straat. Met blote handen tilt ze elke vijg in een oude ijzeren emmer om er later haar mesthoop mee aan te vetten. Roza's mesting is hoog genoeg om het hele dorp van mest te voorzien.

Aan dit einde van het dorp staan er alleen huizen aan één kant van de straat en de straat is dan ook maar aan één kant verlicht. Soms kun je Roza 's avonds laat met een kaars door de wei zien lopen om de produktie van de dag te inspecteren. Winter en zomer draagt ze dezelfde katoenen schort en wollen grijze trui. Roza lijkt kou noch hitte te voelen. Misschien gebeurt dat wel als je zo oud bent. Nattigheid voelt Roza nog wel, want als het regent bindt ze een oude plastic zak over haar haar.

Alle huizen hier hebben een poortje opzij zodat je achterom naar binnen kunt. De meeste mensen werken overdag in de stad en Roza doet dan haar ronde. Ze neemt een kijkje in de brievenbussen, in de vuilnisbakken en door de ramen. Ze zet omgevallen geraniumpotten recht, sluit achteloos opengelaten hekjes, neemt de post door en kijkt wat er de avond voordien op tafel kwam. Sommige mensen sluiten dan ook hun zijpoortjes af met een hangslot.

Roza is mijn eerste bezoeker. Mijn broer is net weggereden met de lege vw-bus waarmee we mijn spulletjes verhuisd hebben, en ik ben begonnen de kartonnen dozen uit te pakken, als ik het poortje hoor piepen en Roza zie komen aansloffen. Roza komt binnen zonder kloppen en legt een enorme kool op tafel. Uit de zak van haar schort haalt ze een bokaal en ze zet die naast de kool op tafel. Roestige haken houden een verweerd oranje rubbertje geklemd tussen het dekseltje en de bokaal. ERWTEN 1981, staat er op het etiketje. Roza kijkt rond en betast de meubelen en de enkele kopjes die al zijn uitgepakt.

'Ik zie dat ge nog veel werk hebt,' zegt ze.

Ze neemt mijn handen in haar handen. Zachte handen in ruige eeltige grijphanden.

'Gij zijt zeker van de stad,' zegt ze.

Als ze mijn handen loslaat, glijden haar handen even

157

over mijn buik, en dan is ze de deur uit, voordat ik haar kan bedanken voor de groenten. Even later komt een andere buur langs en zegt, naar de bokaal en de kool wijzend:

'Ik zie dat Roza al hier is geweest. Pas maar op of ge krijgt ze niet meer buiten. En zorg maar dat ge een goed slot hebt of ze zit in uw kasten als ge weg zijt.'

En aan de deur draait hij zich nog even om en zegt: 'Roza heeft nog bij de prins gediend.'

De volgende avond brengt Roza een WORTELS 1979. Ik stop mijn handen weg in mijn zakken, maar Roza heeft alleen oog voor mijn broer die boven op een ladder aan het sukkelen is met een stuk behangpapier. Haar ogen graven zich in hem vast. Dan zegt ze:

'Gij hebt zeker nog niet veel behangen in uw leven.'

En dan is ze alweer weg.

'Wie is dat?' vraagt mijn broer.

'Dat is Roza,' zeg ik, 'die heeft nog bij de prins gediend.'

'Is er hier dan een prins?' vraagt hij.

'Kennelijk,' zeg ik.

Roza's huis is het laatste van het dorp. Verderop wordt de asfaltweg een pad dat naar het bos leidt. Het bos is van de prins en je mag er eigenlijk niet in, maar niemand let op het bord met VERBODEN HET BOS TE BETREDEN dat tegen een boom is gespijkerd. Op het einde van de winter groeien er wilde sneeuwklokjes en in de zomer gele sleutelbloemen. Diep in het bos, overgroeid met mos, is er een monumentje ter nagedachtenis van één van de prinsen. Zijn naam is moeilijk te ontcijferen onder al het mos, maar MORT DANS UN ACCIDENT DE CHASSE is nog heel duidelijk te lezen. Roza zegt dat die prins werd doodgeschoten door een boerenjongen uit het dorp wiens zuster hij onteerd had. Maar op de steen staat er MORT DANS UN ACCIDENT DE CHASSE gebeiteld.

Iedere avond van die eerste weken werken mijn broer en ik hard om het huis op te knappen en iedere avond horen we het poortje piepen en komt Roza binnen zonder kloppen. De voorraad bokalen groeit gestadig. Ik probeer mijn broer er enkele van in zijn handen te stoppen als hij naar huis gaat, maar hij wil niets weten van die flets gekleurde brij in de doffe bokalen, de roestige klemmen, de verweerde rubbertjes. De eerste avond dat ik alleen thuis ben, mis ik de gezelligheid van het samen werken en kletsen en betrap er mezelf op dat ik op Roza's bezoekje aan het wachten ben. Als het acht uur wordt en ik het poortje nog niet heb horen piepen, haal ik alle bokalen uit de kast, giet de inhoud in een plastic zak die ik diep in de vuilnisbak duw. Dan was ik de bokalen om en stop ze in een boodschappentas.

Roza's huis ligt een goeie vijfhonderd meter verder naar het bos toe. De laatste lantaarnpaal van het dorp staat schuin voor mijn huis zodat Roza's huis versmelt met het donkere gat van het bos. Voor alle veiligheid neem ik een zaklamp mee. Het vriest nog steeds en ik trek mijn warmste kleren aan. Tevergeefs zoek ik Roza's bel aan de voordeur, dus duw ik maar het poortje open en loop achterom. Roza zit in de tuin op een krukje.

'Hij komt zeker niet vanavond, uwe chéri?' zegt ze. 'Kom maar binnen, ik zal u eens iets tonen.'

Zodra we het huis binnenstappen begrijp ik waarom Roza steeds in haar tuin zit. Er is gewoonweg geen plaats meer voor menselijke wezens. Op en in alle kasten, op rekken, in kartonnen dozen, op de grond, op de vensterbanken staan bokalen ingemaakte groenten. Geen stoel of tafeltje is gespaard. De bokalen reiken tot hoog tegen het plafond. Onverstoord baant Roza zich een weg door de groentenmassa. Ik volg haar zo voorzichtig mogelijk, maar kan een lading bokalen op de leuning van een leunstoel niet meer ontwijken. Drie bokalen slaan tegen de grond, maar Roza lijkt het nauwelijks te merken.

We komen even op adem op Roza's matras die in een hoek van de eetkamer ligt. Op de matras ligt een kool klaar naast een groot mes. KOOL 1983. Vast goed voor tien bokalen, zo'n kool. Het duurt wel even voor Roza de toegang tot de huiskamer ontruimd heeft, maar na wat herschikken en herstapelen kan de deur net ver genoeg open om ons binnen te laten. De zitkamer is akelig leeg. De fauteuils zijn met lakens overtrokken en er staat één enkele groene kristallen vaas op de vensterbank. Alleen de kast doet erg druk aan met de negen bekers van de Katholieke Tuindersgilde. Roza toont me de foto van het meisje met de lange donkere vlechten en het witte kapje.

'Drie jaar heb ik er gediend,' zegt ze. 'Dan moesten ze me niet meer hebben. Ze willen er daar alleen maar jonge. Zoals u. Wel,' zegt ze, 'wat vindt ge ervan. Maar, hebt ge de prins eigenlijk al gezien? Die is nog schoner dan uwe chéri.' Ze giechelt en legt haar hand op mijn voorarm. Ik bloos en vraag me af waarom ik haar niet zeg dat het mijn broer is en niet mijn 'chéri'. Terwijl we daar zo staan strijkt ze met haar andere hand over mijn haar. Even is het net of ze mijn grootmoeder is. Dan doe ik een stap achteruit en ontsnap uit haar directe bereik.

'Zeg Roza,' zeg ik, 'ik zie u toch altijd zo vroeg al in de wei aan 't werk. Gij hebt toch wel moed, hoor,' vlei ik haar met de neerbuigendheid van de jongere generatie voor de oudere. Ik merk zelfs dat ik haar dialect probeer na te bootsen.

'Ach kind, er moet toch iemand op de beesten let-
ten. Ge zoudt het niet geloven hoe de boer die arme
paarden verwaarloost. Op een morgen kom ik in de
wei. 't Was aan 't vriezen zoals nu, al wel twee weken
aan een stuk. Ik kom in de wei, en wat zie ik? Een klein
paardeke ligt naast de mama helemaal bevroren. 't Was
dood. En de mama was te moe om er iets aan te doen.
De moederkoek hing nog tussen haar poten, och here.
Dat zou toch niet mogen. 'k Hoop maar dat dat nu niet
gebeurt met deze kou.'

'Is de merrie dan zwanger?' vraag ik.

'Hebt ge dat dan nog niet gezien? Haar buik hangt
bijna op de grond. Straks ontploft ze nog.'

'Is het andere paard dan de vader?' vraag ik, den-
kend aan het paard waarvan ik vaak het geslacht ob-
sceen langer en korter heb zien worden.

'Die, neen, neen, dat is genen echte meer. Die hebben ze iets afgesneden. Het paard van de prins, dat is
de papa van alle paarden van het dorp. Ook van dat
hier. Met zo'n hengst hebt ge er maar één nodig. Maar
de prins, dat is gene papa; zelfs niet van een paard.
Weet ge wat ze zeiden toen ik bij de prins diende?
Toen zeiden ze: "De Madame, die zou beter bij de
hengst van de prins slapen, die zou haar wel gelukkig
maken." '

'Hebt gij kinderen, Roza?' vraag ik.

Maar Roza is alweer in de eetkamer aan het rommelen in een kartonnen doos. Eindelijk komt ze te voorschijn met een bokaal. WITLOOF 1955.

'Hier,' zegt ze, 'dat is van de winter toen ik dat veu-
lentje dood gevonden heb.'

'Dank je,' zeg ik automatisch en neem de bokaal
aan, maar thuis giet ik de inhoud in een plastic zak. Ik
zorg er wel voor dat het geen doorschijnende zak is
zodat Roza de inhoud niet kan raden op haar vuilnis-
bakronde.

Soms ben ik bang in zo'n bokaaltje een foetus te vinden. KALF 1965. Of VARKENTJE 1970. Zoals op school in de biologieklas. Net een marsepeinen varkentje, helemaal af, op de oogjes na die nog dichtgegroeid zijn. Als je het dekseltje oplicht, ruik je de weeë geur van formol. VEULEN 1955. VEULEN MET WITLOOF 1955. VEULEN MET WITLOOF IN KAASSAUS 1955. In 1955 was ook ik een foetus.

Maar soms in haar verhaal was het veulen helemaal niet dood en had het het alleen heel erg koud. Roza had er dan haar beste deken overgelegd en was er de boer gaan bijhalen. En in een ander verhaal kwam de prins net voorbij op zijn grijsgevlekte hengst, en stapte hij af, en wikkelde het veulen in zijn warme jas, een bruine jas met een bontkraag.

Het is nog vroeg als ik op een dag de gordijnen opentrek en de vertrouwde figuur van Roza in de wei aan de overkant bezig zie. De merrie slaat haar gade. In de verte klinkt de zware hoefslag van een paard op asfalt. De slagen worden steeds luider tot Roza en de merrie tegelijk opkijken. Een oude man rijdt voorbij op een grijsgevlekte hengst. Hij zit stokstijf, kaarsrecht, als ware hij van hout. Door de punten van zijn bontkraag, die rechtop staat, steekt een lange kromme neus. Roza zet de emmer neer en staart hem na. De prins kijkt strak voor zich uit. De hengst voert hem het bos in.

Het dorp heeft maar één winkel. De andere winkels zijn allemaal bezweken onder de druk van de naburige supermarkten. De apotheek echter doet betere zaken dan ooit. Het is een ruime, moderne winkel, met witte muurkasten en laden die geluidloos open en dicht glijden. In de grote uitstalramen staan vaasjes met gedroogde bloemen en koperen weegschalen van weleer.

Een oude gravure toont hoe vroeger een lijk gedissecteerd werd. Bij elk lichaamsdeel staat een nummertje dat onderaan verklaard wordt. Onder de tafel waarop het lijk ligt, knaagt een hond aan een bot. De apothekeres kent het hele dorp bij naam, kwaal en bloeddruk. Nu het kerkgaan veel van zijn aantrekkingskracht heeft verloren, wordt de apotheek drukker en drukker bezocht. Mensen treffen er elkaar, en maken er melding van de staat van hun buik, hoofd of huid. Ondertussen vernemen ze wie welke nieuwe wagen heeft gekocht en wie 's avonds met wie samen door het bos wandelt.

'En hoe is het met Roza?' informeert de apothekeres.

'Goed hé,' antwoord ik, blij dat ik er al bij hoor. 'Nog altijd even vroeg op 's morgens.'

'En groenten,' zegt ze, 'bokalen en bokalen vol. Ze zeggen dat ze er nog heeft van voor de oorlog.'

'Ah ja?' zeg ik en bedenk opgelucht dat ik de ingemaakte groenten van Roza niet heb aangeraakt.

'Wat wilt ge met zulke oude mensen. En dan zo helemaal alleen, al zoveel jaren lang. Geen wonder dat ze een beetje vreemd doet.'

'Heeft ze dan geen kinderen?' vraag ik.

'Neen, Roza heeft geen kinderen.'

En dan, als ik al aan de deur ben:

'Roza heeft nog bij de prins gediend.'

Het veulen is geboren in de wei aan de overkant en Roza is in volle actie. Ik heb nog nooit een pasgeboren veulen gezien en ik kan het niet laten ook te gaan kijken. Het is grijsgevlekt zoals de hengst van de prins en staat al een paar uur na de geboorte overeind. De merrie likt het helemaal schoon en blijft stokstijf staan terwijl het veulen drinkt.

'Het is een hengst,' zegt Roza, al hoef je geen kenner te zijn om dat te zien. 'Die zal wel aan zijn moeder zitten eer dat het zomer is. Zo zijn ze allemaal.'

In de verte klinkt weer de zware hoefslag, en als ik me omdraai zie ik de akelige, stramme figuur naderen. Ik grijp Roza bij de arm en samen kijken we hoe de prins roerloos hoog op zijn paard voorbijrijdt.

'Roza,' zeg ik, 'wat gebeurt er met het bos en het kasteel als de prins zonder kinderen sterft?'

'Het bos en het kasteel,' zegt Roza, 'dat is van de prins.'

Ik raak maar niet uitgekeken op het veulen en streel het zachtjes over zijn manen.

'Gij hebt zeker een kind op u,' zegt Roza plots en grijpt met een hand naar mijn buik. 'Zoals gij met dat veulen doet.'

Ik bloos en laat meteen het veulen los.

'Roza, ik moet weg naar mijn werk. Tot vanavond.'

Met de dag is het duidelijker dat het veulen er eentje is van de hengst van prins, maar noch de prins noch de hengst kijkt op of om als ze de wei voorbijrijden op weg naar het bos. In de lente is het al zover. Het veulen zit altijd aan zijn moeder en de merrie begint hem kwaad weg te schoppen. Wat later komen er mensen van de stad naar het veulen kijken en weer wat later is het weg.

'Verkocht,' zegt Roza. 'Voor 65 000 fr.'

Roza weet altijd alles. Dat komt door de vuilnisbakken, zegt de buur. Rond dezelfde tijd als het veulen verkocht wordt, begin ik werk te maken van mijn tuintje. Groenten zaaien heeft niet veel zin, want de buren bezorgen me meer verse groenten dan ik de baas kan. Ik hou het maar bij een boom, wat fruitstruikjes en bloembedjes. Als het zomer wordt, zit ik vaak laat in de tuin te lezen. Telkens als ik opkijk zie ik de buren in de aanpalende tuinen aan het werk. Op een avond in augustus, als de zon rood aan het ondergaan is, hoor ik weer de zware hoefslag en spring plots overeind. Ik haal een biertje uit de koelkast en schenk het uit in mijn beste glas. Met het glas bier in de hand wacht ik de prins op aan het zijpoortje van mijn huis. Als hij op mijn hoogte is, stap ik naar voren en reik hem het glas aan. De houten man beweegt en brengt de hengst tot staan. Hij neemt het glas aan en drinkt het leeg. Ik sla mijn ogen neer en staar naar mijn sandalen die klompen worden. Ik ben het meisje met de lange donkere vlechten, het witte kapje en de enorme witte schort. Een hand richt mijn kin omhoog en ik kijk recht in dat griezelige, gerimpelde, roerloze gezicht. Dan zegt de prins:

'Ik ben een oude man op een grijsgevlekte hengst.'

Hij stopt het lege glas in zijn jaszak en rijdt door.

Meteen is Roza daar en bestormt me met vragen, hoewel ik nu liever alleen wil zijn.

'Hebt ge de hengst aangeraakt?' vraagt ze opgewonden, haar handen over mijn haar, mijn buik, mijn borsten. 'Wel, hebt ge hem aangeraakt?'

Ik grijp Roze met beide handen vast en schudt haar en vraag:

'Roza, waarom hebt gij maar drie jaar bij de prins gediend?'

Maar Roza heeft zich alweer losgemaakt en is in de vuilnisbak aan het rommelen.

'Kijk,' zegt ze, 'een lege yoghurtpot. Die neem ik mee voor de confituur.'

Dan is ze weg.

12 De zesde van de zesde
van het jaar negentien zesenzestig

Tania was een mooi kind, met helderblauwe ogen en zachte bruine krullen. Ze woonde in een huis met haar vader en haar moeder. Er waren veel kamers in dat huis. Toch was er maar één kamer van Tania. Het huis had ook een tuin met bloemen en gras en groenten en een vijver met vissen en een wilgeboom. De tuin werd afgesloten door een heg. Achter die heg lagen de graanvelden. Tania ging die velden nooit in omdat het graan met rust moest worden gelaten om te kunnen groeien, tot het tijd was voor de oogst. Vaak stond Tania naar de graanvelden te kijken vanuit het raam van haar kamer en dacht na over het graan dat op de velden groeide.

Op een dag kwam Tania's vader thuis en zei:
'Vandaag is het de zesde van de zesde van het jaar negentien zesenzestig.' Later op die avond herhaalde Tania tegen haar beer:
'Vandaag is het de zesde van de zesde van het jaar ne-gentien zesenzestig.' En ze ging bij het raam staan om naar het graan te kijken dat op het veld groeide en zei:
'Vandaag is het de zesde van de zesde van het jaar negentien zesenzestig.' Tania probeerde te berekenen wanneer de tijd zou komen dat ze kon zeggen:
Vandaag is het de zevende van de zevende van het jaar negentien zevenenzeventig.' Maar die gedachte was te groot voor haar, en ze ging slapen, terwijl ze tegen haar beer de toverwoorden fluisterde.

De volgende dag kwam Tania's vader niet naar huis en Tania's moeder huilde. Ze hadden 's avonds aardbeien toe, maar toch huilde Tania's moeder. Ze wilde de aardbeien niet aanraken. Dus at Tania alle aardbeien op en werd misselijk. Die nacht huilde Tania, niet omdat haar vader niet naar huis was gekomen, maar omdat ze nooit meer zou kunnen zeggen:

'Vandaag is het de zesde van de zesde van het jaar negentien zesenzestig.' Niemand zou dat ooit nog kunnen zeggen. Het was zo'n droef idee dat Tania ervan moest huilen.

De volgende dag ging Tania niet naar school, want haar moeder huilde nog steeds. Ze zwierf door de tuin en keek naar de bloemen en het gras en de groenten en de vissen. Ze ging op bed zitten met haar beer en de dag duurde erg lang.

De volgende dag kwam Tania's vader wel naar huis. Hij bracht bloemen mee voor Tania's moeder en een beer voor Tania zelf. Tania vond dat erg dom van haar vader. Hij hoorde toch te weten dat ze al een beer had en dat ze die niet kon uitleggen dat er voortaan nog een beer zou zijn. Dus bedankte Tania haar vader beleefd voor het cadeautje. Niettemin kon ze die beer niet aannemen want dan zou ze haar eigen beer boos maken. Tania's ouders vonden dat erg grappig en zeiden dat ze in de tuin moest gaan spelen. Hun ogen glansden en ze zaten heel dicht bij elkaar.

Tania liep dus de tuin in met die nieuwe beer en verstopte hem achter de stenen die om de vijver heen lagen. De vissen zouden hem wel gezelschap houden en hij kon toch altijd naar de bloemen en het gras kijken. Lange tijd ging Tania die beer elke dag bezoeken. Ze vertelde hem verhaaltjes en zong liedjes voor hem. Op een keer bond ze een plastic zak om zijn hoofd, zodat hij niet zo nat zou worden als het regende.

Tania's vader vroeg nooit wat er terechtgekomen was van de beer, die hij voor haar had meegebracht. Tania vertelde het hem ook nooit. Dat gebeurde allemaal niet lang nadat de mensen hadden gezegd:

'Vandaag is het de zesde van de zesde van het jaar negentien zesenzestig.'

Tania's vader bleef nu vaker weg en Tania's moeder huilde niet zo veel meer als hij er niet was. Haar ogen glansden ook niet meer zo sterk als hij terugkwam. Tania's vader bracht geen cadeautjes meer mee en Tania voelde zich opgelucht. Soms, als haar vader er niet was, kwam er een andere man thuis die haar moeders ogen liet glanzen. Telkens als hij kwam, vroeg hij Tania hoe ze heette, hoe oud ze was en of ze graag naar school ging. Hij bracht bloemen mee voor haar moeder en cadeautjes vor Tania. Tania was bang dat hij nog een beer mee zou brengen, maar gelukkig bracht hij al gauw geen cadeautjes meer en tenslotte kwam hij helemaal niet meer. Er kwamen andere mannen die bloemen meebrachten of die geen bloemen meebrachten. Ze vroegen Tania hoe ze heette en vergaten meteen haar naam.

Op een dag bracht Tania geen bezoek meer aan de beer die bij de vijver woonde. Het ontschoot haar gewoon, net zoals het haar ontschoot haar eigen beer op te rapen, die van en daarna onder het bed was gerold. Tania had nu wat anders aan haar hoofd: jurken en fuifjes en dansen. Er kwamen nu jongens naar het huis, die bloemen meebrachten voor Tania en chocolaatjes voor haar moeder. Op een dag was haar vader toevallig thuis toen een jongen haar kwam opzoeken. Toen de jongen weg was, pakte Tania's vader de bloemen die de jongen voor Tania had meegebracht en gooide ze in de vuilnisbak. Tania huilde die nacht, maar haar beer knuffelen deed ze niet, want die was ze helemaal vergeten.

Op een dag was het de zevende van de zevende van het jaar negentien zevenenzeventig, maar niemand lette er op en niemand zei de toverspreuk. Tania was in de tuin bloemen aan het plukken voor op haar jurk en voor in haar zacht krullende haar. Later op de avond, op het fuifje, zou ze die bloemen uit haar haar halen en ze op Jonathans overhemd spelden en hij zou haar aankijken met glanzende ogen en ze zou hem zoenen. Die avond echter kwam haar vader naar huis. Toen hij de bloemen in haar haar en op haar jurk zag, vlamde woede op in zijn ogen. Hij rukte de bloemen van haar jurk en uit haar haar en schold haar uit voor iets wat ze niet begreep. Die avond huilde Tania niet. Ze raapte de bloemen op en zette ze in een vaas in haar kamer. Ze ging niet naar het fuifje en ging daarna ook nooit meer naar andere fuifjes. Na die avond ging ze nooit meer uit en haar vader kwam ook nooit meer naar huis. Het was de zevende van de zevende van het jaar negentien zevenenzeventig, maar Tania noch haar vader had er op gelet.

Op een dag zei Tania's moeder dat ze opnieuw ging trouwen en dat ze verhuisde. Nu woonde Tania alleen in het huis. Eén keer bracht Jonathan haar een bezoek, maar ze had geen bloemen in haar haar gestoken en ook glansden haar ogen niet. Dus ging hij weg.

's Zomers woonde Tania in de tuin en 's winters zat ze bij het haardvuur binnen. Toen ze op een zomerdag onder de wilgeboom zat, herinnerde ze zich de beer die haar vader voor haar had meegebracht. Ze zocht achter de stenen bij de vijver en vond de beer, aan flarden en vuil, met hier en daar plastic op zijn kop. Toen dacht Tania aan haar eigen beer, die ze op een dag had vergeten op te rapen van de vloer. Toen Tania de twee beren zag, stoffig, versleten en oud, huilde ze, want ze herinnerde zich die zomerdag, lang geleden, toen haar vader thuis was gekomen en de toverwoorden had gezegd. Ze had nu twee beren, één voor de winter en één voor de zomer, één voor in huis en één voor de tuin.

Op een dag kwam er een brief. Tania zag hem toen ze de trap afkwam en langs de voordeur liep. Ze wende gauw aan het witte vierkant op de groene marmeren vloertegels. De brief raakte onder het stof waardoor haar vaders handschrift vervaagde.

De volgende zomer besloot Tania de boer te helpen het graan te pikken dat op het veld achter de heg stond. De boer was blij dat hij iemand meer had, want er stond veel graan die zomer. Tania had het pikken al gauw onder de knie en werkte enkele weken zwijgend naast de boer. 's Nachts rustte ze uit op het veld, gewikkeld in een deken, en luisterde naar de geluiden van het veld tot de ochtend aanbrak. De geur van versgepikt graan zat in haar kleren en op haar vel en haar haar kreeg de kleur van graan. Op een dag was al het graan gepikt, en er werd meel van gemaakt. Tania vroeg de boer of ze wat meel kon krijgen, de boer vond dat een eerlijke schikking.

Die winter zat Tania bij het haardvuur en at van het brood dat ze van dit meel kon bakken. Op een dag bekeek ze zichzelf in de spiegel en vond dat het tijd werd voor haar om weg te gaan. Ze liep de tuin in, nam de tuinbeer op en gooide hem in het vuur. Daarna ging ze boven de huisbeer halen en gooide ook die in het vuur. Ze liep naar de gang om het grijzige stoffige vierkant op te rapen dat op de marmeren vloer lag. Dat gooide Tania ook in het vuur. Toen alles was opgebrand en er alleen as overbleef, pakte Tania wat kleren bij elkaar en de rest van het brood dat ze had gebakken met het meel van het veld. Ze trok de gordijnen dicht en verliet het huis.

13 Woorden

In den beginne was het Woord,
en het Woord was bij God,
en het Woord was God.

JOHANNES I, I.

Mijn zoon praat niet. Toch leeft hij niet in een stille wereld. Het geluid van stemmen, auto's, glas dat breekt of muziek dringt tot hem door, maar wordt nooit teruggestuurd. Er wordt ontvangen, maar niet uitgezonden.

Ik woon graag samen met mijn zoon. We wonen in een ruim, ouderwets huis met veel hoge kamers vol tapijten. Ze staan allemaal leeg nu, behalve natuurlijk onze twee slaapkamers, waar we elk een matras hebben en de woonkamer, waar mijn zoon de tafel en de twee stoelen heeft gezet. Vanzelfsprekend hebben we geen boeken. In ons hele huis is geen enkel gedrukt of geschreven woord te vinden.

Soms komt er bezoek, maar dat blijft nooit lang. Ons huis is niet geschikt voor gezellige praatjes over het weer, het laatste vliegtuigongeluk of de zelfmoord van een betoverende filmster. Woorden bewegen zich onbehaaglijk door de lege ruimte, komen pijnlijk in botsing met het hoge plafond en vallen als een baksteen op de mat. 's Avonds zetten mijn zoon en ik meestal onze stoel voor het raam om te kijken hoe de avondzon de wereld kleurt in roze tinten. Op zulke ogenblikken vertel ik mijn zoon wel eens over mijn werk van die dag. Ik spreek zachtjes en gebruik spaarzaam mijn woorden. Mijn zoon levert nooit commentaar, maar ik merk dat hij luistert aan de manier waarop hij zijn wenkbrauwen optrekt. Als ik ophou met praten, keert hij me zijn gezicht toe en glimlacht. Mijn zoon is heel mooi wanneer hij glimlacht.

Er was een tijd dat m'n zoon wel sprak.

Er was een tijd dat alle kamers vol meubels stonden en dat het huis vol stemgeluid was, blije stemmen of boze stemmen, stemmen van de gasten die ons huis met een bezoek vereerden.

Er was een tijd dat langs alle muren boekenkasten stonden, die scheefhingen onder het gewicht van de talloze boeken.

Er was een tijd dat mijn man in leven was en dat wij een gezin waren met vader, moeder en kind.

Een paar collega's van mijn man hebben over die tijd een boek geschreven. Mijn man had zelf veel boeken geschreven en ik denk dat het door die boeken kwam dat zij tenslotte de lijst wilden afmaken met nog één boek erbij. *Geoffrey James: Volledige Gids.* Soms wilde ik wel dat ik een exemplaar van dat boek had. Als ik misschien lang genoeg naar de afbeeldingen zou kijken, als ik misschien lang genoeg alle voetnoten en bijdragen zou lezen, misschien zou er dan een soort regelmaat uit te voorschijn komen, misschien zouden dan al die woorden en zinnen een combinatie vormen die betekenis gaf aan tweeëntwintig jaar huwelijksleven.

Ik ken de afbeeldingen in dat boek goed. Ik bedoel, ik heb ze zelf uitgekozen. Op een dag kwam Lionel, vroeger Geoffrey's rechterhand en toen de man die de redactie deed van het boek, op bezoek en legde uit hoe het boek in grote trekken in elkaar zat. Of ze op mij konden rekenen voor de afbeeldingen? Lionel verwoordde dat eenvoudige verzoek op zijn gewone, welbespraakte en zorgvuldige manier en hij doorspekte zijn toespraakje zoveel keer als hij maar kon met 'Hilda, schat'. Zoals gewoonlijk was hij nog lang bezig zijn verzoek uiteen te zetten nadat ik mijn toestemming al gegeven had.

Ik vond dat ik voor een onmogelijke taak stond. Hoe kon ik nu de essentie van Geoffrey's leven vatten in vijftig taferelen, of die nu bij toeval waren vastgelegd door een onbescheiden fototoestel of dat ze nu net geposeerd waren (Geoffrey die trots poseert naast het standbeeld van zijn lievelingsdichter)? Van welke foto's kon je zeggen dat ze representatief waren? Welke foto's zou Geoffrey zelf hebben gekozen? En wat dan met wat niet was vastgelegd, het verborgene, het niet onthulde?

'Er is geen foto bij van de ontbijttafel,' zei ik toen Lionel de foto's kwam halen.

Ik had Lionel de stoel van mijn man aangeboden en bekeek hem aandachtig terwijl hij koffie dronk uit mijn mans kopje en een slokje nam van mijn mans lievelingscognac. Het was een combinatie die Geoffrey niet kon weerstaan na een goed maal. Het kwam me voor dat ik mijn man misschien te voorschijn zou kunnen toveren. Lionel was het aangewezen medium. Zijn studenten hadden hem de bijnaam 'de stem van het baasje' gegeven omdat zijn manier van spreken, zijn ideeën, zelfs de buiging van zijn stem, de volmaakte echo waren van die van mijn man.

'Sorry? Zei je de ontbijttafel? Heerlijk origineel, Hilda, schat, je bent echt een van de origineelste geesten van deze tijd. Je zou er versteld van staan hoe bedroevend weinig echt originele mensen je tegenkomt, ook in mijn beroep.'

Terwijl Lionel maar doorraasde over zijn frustrerende ervaringen met de algehele saaiheid van de zogenaamde creatieve scène, vroeg ik me af of ik hem er misschien toe kon brengen aan het hoofd van de tafel te gaan zitten net zoals Geoffrey had gezeten. Ik moest het witte tafellaken stijven en strijken, de tafel dekken met het witte porselein met gouden randje, de zilveren couverts en de witte servetten, opgevouwen in zilveren servetringen. Daarna een vers geplukte roos (met nog sprankels ochtenddauw erop) in een kristallen vaas naast Geoffrey's bord, vers sinaasappelsap, warme koffie, krokante broodjes, roomboter, volvette kaas, zelfgemaakte jam en melk. Hij moest Geoffrey's kamerjas dragen. De donkerrode kamerjas was een onmisbaar requisiet. Ik zou hem leren hoe hij hem moest dragen op Geoffrey's achteloze manier zodat je bij elke beweging de zijden voering kon zien. Ik glimlachte toen ik besefte dat hij recht uit Geoffrey's bed en bad moest komen, nadat hij gebruik had gemaakt van Geoffrey's badschuim, zeep, talkpoeder, aftershave en dikke zachte handdoek. In feite zou hij bij mij uit bed moeten komen zodat de speciale mengeling van geuren precies zou kloppen: de reuk van zeep en lotion, met een flauw vleugje belegen sex en slaap, dat je met geen enkele hoeveelheid lotion wegkreeg. Ik zou hem aandachtig bekijken als hij de trap afkwam, de deur opendeed, op me toeliep, me op de wang zoende, aan het hoofd van de tafel ging zitten, aan de roos rook en zei: 'Echt attent van je, Hilda, schat, dat je aan een roos hebt gedacht. Ik vind dat een rode roos bij het ontbijt het vooruitzicht van een nieuwe dag bijzonder draaglijk maakt. Bijzonder draaglijk.'

En terwijl ik koffie inschonk, nog steeds lettend op

elke beweging en gelaatsuitdrukking van hem, zou het me misschien opeens allemaal duidelijk worden, zou ik misschien opeens de betekenis begrijpen van het ontbijtritueel dat zonder enige verandering van scenario was opgevoerd, elke ochtend, bijna tweeëntwintig jaar lang.

'Zou je de slaapkamer willen zien?' viel ik Lionel in de rede. Hij bloosde. Duidelijk.

'Eh, Hilda, schat, sorry dat ik je zo lang bezig hou. Ik weet wel dat dat boek je moeilijk valt. Dat soort herinneringen is de sterkste mensen te machtig. Gut, is het al vier uur geweest? Ik moet hollen of ik mis die vergadering.' Hij sloeg vlug zijn cognac naar binnen en stond op om weg te gaan.

'O gut, ik was het bijna vergeten. Hilda, schat, mag ik je nog één ding vragen? Het is heel belangrijk. Zie je, het boek zou onaf zijn, hinderlijk onaf, als we er geen hoofdstuk bijdeden over Geoffrey's artikels in kranten en tijdschriften. Damian zei eigenlijk onlangs nog dat het zaad zelf van Geoffrey's belangrijkste werk verspreid ligt over de bladzijden van week- en dagbladen. Het schoot me gewoon te binnen dat jij misschien wat kranteknipsels bewaard zou kunnen hebben. Luister. Ik kom volgende week nog eens langs, Hilda, schat, dan zullen we erover praten.'

Hij gaf me de gebruikelijke drie zoenen op mijn wangen en stormde het huis uit. Terwijl ik hem weg zag lopen, merkte ik voor het eerst dat hij een jas van precies dezelfde snit droeg als Geoffrey had gedragen en dat zijn manier van lopen erg op die van Geoffrey leek.

Ach, natuurlijk had ik alle kranteknipsels bewaard. Elk stuk dat Geoffrey ooit had geschreven voor een krant of tijdschrift of elk stuk dat ooit over hem was geschreven, was uitgeknipt en zorgvuldig opgeborgen. Terwijl Geoffrey weg was naar de universiteit of naar een congres of een seminarie, trok ik thuis de wacht op. Ik loerde in de pers naar Geoffrey's naam en trok er een cirkeltje rond, een blauw voor de stukken van zijn hand, een rood voor de stukken over hem. Geoffrey was vooral gevoelig voor dit laatste. Door de jaren heen had ik geleidelijk de naaikamer veranderd in een archiefkamer. Vroeger was ik dol op wandtapijt in patchwork. Ik maakte een trein of een boerderij of een strand van duizenden verschillende lapjes. Maar aangezien Geoffrey meer en meer woorden produceerde en aangezien die woorden steeds meer woorden genereerden, had ik elk vrij moment nodig om die eindeloze stroom woorden onder controle te houden. Al gauw begonnen de opbergkasten de bovenhand te halen en uiteindelijk moest de naaimachine verhuizen naar de zolder. Blauwe etiketten kwamen op de kasten met Geoffrey's stukken: recensies van boeken, kritieken, roddel, filosofische essays, uittreksels uit zijn romans, brieven, colleges, conferenties. Rode etiketten voor de stukken over hem: over zijn recensies, over zijn kritieken, over zijn roddel, over zijn filosofische essays, over zijn romans, over zijn brieven, over zijn colleges, over zijn conferenties. Geoffrey produceerde woorden. Ik sloeg ze op.

Precies één week later kwam Lionel weer langs. Hij pronkte met een witte zijden sjaal, net als Geoffrey vroeger.

'Hallo Geoffrey,' fluisterde ik, 'hoe was 't op 't werk?'

'Hilda, schat, blij je te zien! Je ziet er echt verrukkelijk uit in dat crème ensemble. Is het geen pittig weertje? Ik bedoel, is het niet verschrikkelijk op zo'n dag te moeten werken? Luister, Hilda, schat, ik heb afschuwelijke haast. Ik ben op weg naar Damian om te praten over het stuk dat hij maakt over het materiaal uit de kranten. Herinner je je dat ik het daar vorige week over had? Damian dringt er sterk op aan iets te doen dat een belangrijke toelichting zou kunnen worden over eh, wel...'

'Zeker, Lionel, het ligt allemaal boven in de naaikamer, ik bedoel de archiefkamer, het ligt allemaal daar. Ik zal het je laten zien.'

Ik ging hem voor. We liepen tussen de dubbele rij boekenrekken door waarmee de hal was afgezet. Ik liet mijn vingers over de boekenruggen glijden terwijl we de trap opgingen.

'Weet je hoe lang het duurt om alle boeken hier in huis af te stoffen?' vroeg ik.

'Sorry, Hilda, afstoffen, dat zei je toch? Oh, geen idee. Ik geef toe dat ik daar nog nooit over nagedacht heb.'

'Drie uur vijfenveertig minuten en dan reken ik die op zolder niet mee.'

Ik wachtte op antwoord maar ik hoorde alleen Lionels gehijg achter me op de trap.

'Deze kant uit, Lionel.'

Lionel bleef staan.

'Je bedoelt toch niet, Hilda, schat...'

Hij was hier duidelijk niet op voorbereid. Ik vermoed dat hij een paar volgepropte schoenendozen had verwacht, geen rijen archiefkasten tot boven tegen het plafond. Zijn mond zakte open toen hij zijn ogen over de kasten liet dwalen.

'Maar, Hilda, schat,' zei hij uiteindelijk. 'Damian wordt hier helemaal wild van. Dus als hij iets wil maken over recensies dan trekt hij gewoon deze la hier open en... maar Hilda, schat, d'r zit niks in. En hier ook niet,' zei hij, een volgende opentrekkend, 'en ook hier niet...'

Hij deed alle kasten open, maar er was niet één snipper krantenpapier te bekennen.

'Maar,' zei ik.

Lionel had precies dertig seconden nodig om zich op de nieuwe situatie af te stemmen. Hij legde zijn arm om me heen, veegde mijn haar uit mijn gezicht en begon me toe te spreken met sussende stem.

'Ach, ach, Hilda, schat, alles komt in orde. Luister, ik heb een plannetje. Vergeet dat hele boek, en ik en Damian en de anderen zullen overal voor zorgen. OK? Luister nu, jij gaat wat rusten, beloof je dat? Braaf meisje.'

Hij haastte zich de kamer uit en snelde de trap af.

'Hij denkt dat ik gek aan 't worden ben.'

Ik ging op bed liggen en ontspande me geconcentreerd. Het hielp niet. Ik bleef me maar inbeelden dat Lionel er ook lag, docerend over Geoffrey's grondgedachten, Lionel in zijn maatpak en met zijn witte zijden sjaal, Lionel, die mijn haar uit mijn gezicht veegde. Het hielp niet.

Ik stond op en ging nog eens naar de archiefkamer kijken. De kasten waren nog steeds leeg. Ik liep Stevies kamer binnen. Stevie kwam alleen nog in het weekeinde naar huis en ik kwam graag in zijn kamer tijdens de week. Het bed zag er vreemd gebobbeld uit. 'Lieve help,' dacht ik, 'misschien heeft Lionel wel gelijk, misschien ben ik mijn greep op de werkelijkheid aan het verliezen, misschien begin ik door te trappen. Koekoek,' giechelde ik. Ik begon in het bed te porren. Er was iets onder de matras gestopt, dat leed geen twijfel. Ik tilde de matras een beetje op, graaide eronder en haalde een doorschijnend plastic zakje te voorschijn. Ik draaide het rond in het licht. Er leek wel krantenpapier in te zitten, in hele kleine stukjes gescheurd. Ik tilde de matras hoger op en vond nog honderden zulke zakjes. Een seconde lang had ik de neiging het bed weer op te maken en te doen of ik de zakjes nooit had gezien. Toen dwong ik mezelf mijn vermoeden te bevestigen. Ik deed een zakje open en bekeek de snippertjes. Op een heleboel stond Geoffrey's naam geheel of gedeeltelijk. Ik kon mezelf niets meer wijsmaken. Dit waren de overblijfselen van de kranteknipsels die Lionel en Damian zo graag wilden hebben.

Op zaterdag spreidde ik alle zakjes uit op tafel en wachtte tot Stevie thuiskwam. Stevie zoende me goeiedag zoals altijd. Toen hij de zakjes zag, glimlachte hij en begon ze in de vuilnisbak te gooien.

Ik hielp hem.

Ik hielp hem het werk van jaren in de vuilnisbak te gooien.

Toen we het laatste zakje in de vuilnisbak hadden gepropt, begon Stevie aan de boekenrekken. Met een zelfde methodische drift pakte hij alle boeken in kartonnen dozen en droeg de volle dozen naar buiten op de stoep om ze op te laten halen door de vuilniskar. Hij zag er zo vreedzaam en rustig uit, dat ik zijn glimlach niet kon weerstaan en weer hielp ik hem.

Maar Stevie was nog niet klaar. Zodra de laatste doos buiten op de stoep stond, begon hij de meubels het huis uit te slepen. Kleerkasten, krukjes, kisten, tafels, bureaus, bedden, leunstoelen en boekenrekken werden het huis uit en de tuin in gesleurd. Hij liet alleen twee stoelen, de tafel en de matrassen achter. Al de rest werd in brand gestoken.

We gingen bij het vuur zitten en keken in de flikkerende vlammen.

We zaten bij het vuur tot de dag aanbrak.

Toen de dag aanbrak, bleef er alleen asse over.

We liepen het lege huis binnen en ik gaf me er rekenschap van dat we de hele operatie lang geen woord hadden gewisseld.

'Wil je iets eten, Stevie?' vroeg ik.

Stevie knikte en ik begreep dat hij nooit meer zou praten. Hij had de hele nacht gewerkt om alle woorden uit het huis te verwijderen en hij zorgde ervoor dat hij er geen nieuwe binnenliet. Ik maakte voor ons twee een kop koffie en toast klaar. We gingen op de drempel van de keukendeur zitten en aten ons ontbijt. Ik had van mijn leven nooit tevoren met mijn zoon op de drempel van de keukendeur gezeten. Het gaf een goed en vredig gevoel.

Toen de zon niet langer een pijnlijk broze geboorte was, stonden we op en gingen slapen op onze matras.

Donderdag daarop kwam Lionel langs.

'Hilda, schat, ik was toevallig aan deze kant van de stad en...'

Hij zweeg. Zijn mond zakte open. Hij nam zijn hoed af en veegde zijn voorhoofd af.

'Waar, waar is alles gebleven?' kon hij tenslotte uitbrengen.

'Weg,' zei ik.

'Weg?'

'Ja, weg.'

We stonden zwijgend bij elkaar en bekeken de blote muren en de naakte vloer. Lionel gaf geen kik. Toen keerde hij zich om en liep het huis uit.

Een paar maanden later kreeg ik een uitnodiging voor de persvoorstelling van *Geoffrey James: Volledige Gids*. Ik ging er naar toe en luisterde plichtsgetrouw naar de toespraken waarin Geoffrey's kunst en zijn grondgedachten werden geprezen. Lionel drukte zijn spijt uit dat hij de hand niet had kunnen leggen op Geoffrey's werk voor dag- en weekbladen. Een paar mensen kwamen me dag zeggen en omhelsden me. Ze praatten over het boek en ik was het met ze eens dat het echt een prachtig boek was. Iemand vroeg me zelfs haar exemplaar te signeren. Ik kon onopgemerkt verdwijnen en liet terloops mijn exemplaar op de balie van de vestiaire liggen. Het had geen zin het mee naar huis te nemen. Stevie zou het alleen maar buiten hebben gezet, voor de vuilnismannen.

Anna heette Anna maar Anna was Anna niet. Er was niemand die wist dat Anna Anna niet was. Alleen Anna wist dit.

In het familiealbum zijn er de foto's van Anna op de schaapsvacht voor de open haard. Anna op de arm van opa en Anna op de arm van oma, Anna in bad en Anna met de teddybeer, Anna met Leen en Anna met Koen, Anna, Koen en Leen in een rubberbootje op het strand. Niemand die ziet dat Koen en Leen Anna's broer en zus niet zijn. Niemand die dit weet. Alleen Anna weet dit. En dan, Anna geknield op de blauwe steen, met Leen die lachend naar haar wijst. Altijd is het Anna die knielt op de blauwe steen. Altijd is het Leen die lacht en wijst. Op de grote stenen speelplaats op school dansen de meisjes in een cirkel rond de blauwe steen. Anna knielt en weent. De stemmen van de meisjes zijn hard en monotoon.

'Zeg Anna op de blauwe steen, blauwe steen, blauwe steen, zeg Anna op de blauwe steen, waarom huil jij zo?'

'Omdat ik morgen sterven moet, sterven moet, sterven moet, omdat ik morgen sterven moet.'

Alle vingers wijzen naar Anna.

Anna heeft een mooie mama al is mama haar mama niet. Mama heeft lang blond haar net zoals Anna. Iedereen zegt dat Anna het haar van mama heeft. Gek is dat, want mama is helemaal haar mama niet, al is er niemand die het weet. Zelfs mama weet het niet. Op de foto's van vroeger hangt mama's haar los over haar schouders, maar nu draagt ze het altijd in een wrong achter op haar hoofd. Anna mag alleen op zondag haar haar los laten hangen. Iedere ochtend bindt mama Anna's haar in twee lange vlechten en pas 's avonds voor het slapen gaan mogen die weer los. Soms borstelt mama Anna's haar, maar meestal moet Anna dit zelf doen. Eén, twee, drie tot en met vijftig. Anna's arm wordt al moe bij de tiende borstelslag. Na de vijftigste slag is Anna's haar zijig zacht. En als ze kijkt in het spiegeltje aan de wand, hoort ze een stem die fluistert: prinsesje, prinsesje, prinsesje mijn.

Op zondagochtend borstelt mama altijd zelf Anna's haar. Hard en snel gaat dat, Anna's schedel tintelt ervan. Als ze klaar is bindt mama een wit lint in Anna's haar. Leens haar hoeft helemaal niet geborsteld. Het is kort en stijf en zwart. In de mis zit Anna tussen Leen en mama. Haar ongehandschoende handen liggen gevouwen in haar schoot. Leen heeft witte handschoenen maar vergeet die altijd thuis. Anna moet nog wachten tot haar plechtige communie voordat ze handschoenen krijgt. Maar ook zonder handschoenen zit Anna erbij als een plaatje, al zit ze helemaal niet in de kerk. Anna is heel ver weg, maar er is niemand die het merkt. Er is niemand die het weet. Anna rijdt in een kristallen koets door de straten van een verre en vreemde stad. Uit alle huizen stromen mensen naar buiten om haar toe te juichen. Anna wuift en glimlacht. Ze draagt een beeldige, lange witte kanten jurk, witte handschoenen die helemaal tot over haar ellebogen reiken, glazen muiltjes, en boven op haar hoofd een gouden kroontje. Haar huid is wit als sneeuw, haar mond is kersenrood, haar kijkers hemelsblauw. Mensen gooien rozen naar Anna en Anna werpt hen kushandjes toe. Een belletje rinkelt in de verte en Anna is weer in de kerk. De priester heft de hostie hoog en Anna slaat haar ogen neer.

Soms in de winter mag Anna niet mee naar de mis. De kerk is koud en vochtig en mama heeft er schoon genoeg van dat Anna altijd verkouden is. Leen en Koen kunnen er best tegen, maar Anna is een heel gevoelig meisje. Anna is een heel bijzonder meisje. Ze kan het ook niet helpen dat ze zo'n tenger gestel heeft. Anna is als de dood voor die zondagochtenden alleen in het lege huis. In de winter woont er een grijze wolf achter in de tuin. Enkel in de winter woont hij daar. In de zomer woont hij in de velden en eet er konijntjes en muizen op, maar in de winter graven die zich allemaal in en dan woont de wolf achter in de tuin en eet hij kleine meisjes op. Op prinsesjes is hij gewoonweg verlekkerd. Tijdens de lange wintermaanden zet Anna nooit een stap in de tuin en als ze 's zondags alleen thuis moet blijven, vergrendelt ze de achterdeur. Als het sneeuwt mag Anna zeker niet mee naar de mis, en dan heeft de wolf juist zoveel honger. Maar mama valt niet te vermurwen. Anna is veel en veel te gevoelig. Er is niemand die weet hoe het komt dat Anna zo gevoelig is. Mama weet het niet, papa weet het niet en de dokter weet het niet. Alleen Anna weet het. Prinsesjes zijn nu éénmaal delicate wezentjes. Prinsesjes zijn zelfs zo gevoelig dat ze een erwt door een stapel matrassen kunnen voelen. En dat weet toch iedereen.

(Anna denkt liever niet terug aan die keer dat ze een erwt uit een blik had gegapt. Het was woensdagmiddag en Anna was alleen thuis. Op het aanrecht stond een blik erwten klaar voor het avondeten en Anna had het blik met heel veel moeite opengekregen en er één enkele erwt uitgehaald. Ze had het dekseltje terugge- duwd en het blik met de geopende kant naar onderen op het aanrecht geplaatst. – Anna legt de erwt onder haar matras, gaat op de matras liggen, wacht gespan- nen, maar voelt niets. Nu eens draait en keert ze zich, dan weer blijft ze stokstijf liggen, maar ze voelt hele- maal niets. Anna besluit dat de test met een verse erwt moet worden uitgevoerd of misschien wel met een diepgevrorene. – Maar 's avonds toen mama het blik opnam, rolden alle erwten over de grond. Mama was heel erg boos en ze eiste dat de schuldige zou opbiech- ten. Ze stonden daar alle drie op een rij naast elkaar. Koen, Leen en Anna, en toen had Leen gezegd: 'Kom nou, Anna, we weten toch allemaal dat jij het hebt ge- daan, zeg het en dan is het voorbij.' Maar Anna had het helemaal niet gedaan. Anna had enkel een erwt willen lenen. Anna had nooit mama willen plagen. Waarom zou Anna zoiets doen? Trouwens, Leen kon helemaal niet weten dat Anna het had gedaan. Niemand kon het weten en dus had Anna het ook niet gedaan. Maar Koen zei nu ook al: 'Kom, Anna, voor de dag ermee, door jouw schuld moeten we hier blijven staan. Ik wil nog wat voetballen voor het eten.' En Leen had naar Anna gewezen en had gezegd: 'Oh Anna, je liegt, er staat een groot zwart kruis op je voorhoofd!' En ook Koen had gezegd: 'Foei Anna, wat een groot zwart kruis, iedereen kan zien dat je liegt.' En Leen had een spiegel voor Anna's gezicht gehouden: 'Kijk Anna, een groot zwart kruis.' Maar Anna had niet in de spie- gel gekeken. Anna had haar handen voor haar ogen ge- slagen en was huilend naar boven gelopen.)

186

De laatste tijd heeft Anna weer nieuwe moed. Meer en meer lijkt het erop dat heel gauw iedereen zal weten wie Anna is. Iedere avond wanneer ze neerknielt voor het kruisbeeld op haar kamertje, weet ze dat ze weer een beetje dichter is bij de grote dag. Wanneer deze winter voorbij is, moet het nog één keer winter worden, en dan in de lente mag Anna de kanten plechtige-communiejurk aantrekken. Mama zal d'r haar zorgvuldig borstelen en er een kroontje op plaatsen. Vorige lente had Anna moeten toekijken hoe mama vergeefse pogingen ondernam om Leens haar te krullen. Nog voor ze naar de kerk vertrokken, had Leen al limonade op haar jurk gemorst en in de kerk had ze zitten giechelen met haar vriendin. Anna had het allemaal gezien. Er kwam maar geen einde aan de dag en aan de stoet communicanten, aan de foto's en aan de cadeautjes, de ooms en de tantes. En Anna had zelfs geen nieuwe jurk gekregen.

Het is mei en Anna staat elke morgen vroeg op om naar de mis te gaan. Als ze niet ontbijt, kan ze te communie gaan en krijgt ze twee roosjes. Wie niet te communie gaat, krijgt er slechts één. De zuster deelt bij het buitengaan de gele kaartjes uit waarop de roosjes gestempeld zijn. Anna heeft al elke dag twee roosjes verdiend. Leen verslaapt zich meestal en de enkele keren dat ze dan toch op tijd opstaat, blijft ze niet nuchter, al belet dat haar niet te communie te gaan. Maar Anna hoeft geen competitie te vrezen. Ze kan nu niet meer verliezen. Als ze dit nog een weekje volhoudt, mag ze Maria zijn in de Maria-processie. Gelukkig staat mama altijd vroeg genoeg op om Anna tijdig te wekken, anders zou Anna niet meer durven gaan slapen. En toch worden Anna's handen nog klam van spanning wanneer de kaartjes geteld worden. De meisjes komen één voor één naar voren en geven hun kaartjes af aan de zuster. Anna houdt haar kaartjes in haar handen geklemd en luistert naar de stem van de zuster die elk stapeltje zorgvuldig telt. Tweeënveertig, achttien, vijfenvijftig, achtenveertig. Elk aantal wordt zorgvuldig genoteerd met een rode pen achter de naam van elk meisje. Tenslotte gaat Anna als laatste naar voren en legt met trillende hand haar tweeënzestig kaartjes op de bank neer. Anna durft de zuster niet aan te kijken. Ook als de zuster al langzaam tot tweeenzestig geteld heeft, durft Anna de zuster nog steeds niet aan te kijken. Zelfs als ze de zuster hoort zeggen: 'Jij bent het, Anna. Wat leuk, een blonde Maria,' blijft Anna krampachtig naar de grijze vloertegels staren. Pas als de zuster zegt: 'Wel, Anna, ik zie je dan straks na school om je jurk te passen. We zullen er wel een zoompje moeten inleggen, denk ik,' kijkt Anna op, net op tijd om de zuster uit de klas te zien verdwijnen en de juffrouw te horen zeggen: 'Kom, Anna, terug naar je plaats, we gaan verder met de les.' Maar de woorden van de juffrouw bereiken Anna nauwelijks. Het mirakel is geschied. Anna is Maria.

Anna is al heel vroeg wakker en het duurt een eeuwigheid voordat mama zachtjes op haar kamerdeur komt kloppen om haar te wekken. 'Stilletjes, anders wordt Leen wakker,' fluistert mama, maar in het andere bed slaapt Leen rustig door. Eerst het bad in. Mama wast haar haar. Dan onder de droger. Als haar haar droog is borstelt mama het hard en snel. Dan moet Anna de jurk aantrekken die ze vorig jaar op Leens communiedag heeft gedragen. Mama heeft wel een nieuw wit lint gekocht voor in haar haar. Nog vóór Koen en Leen opstaan, brengt mama haar met de wagen naar school. Mama heeft zich zo gerept dat Anna zelfs geen kans heeft gezien om zichzelf in de spiegel te bekijken. Ook in het klaslokaal waar de meisjes zich voor de processie verkleden, hangt er geen spiegel. Als Anna aankomt is de zuster net begonnen met Maria's gevolg, en Anna moet wachten tot alle andere meisjes klaar zijn. De zuster wil niet het risico lopen dat Anna haar jurk al zou kreuken of vuilmaken. Anna gaat op een bankje zitten pal tegenover de kapstok waaraan de hemelsblauwe Mariajurk hangt. Anna heeft geen spiegel nodig. Anna weet precies hoe ze er zal uitzien. Ze weet dat ze Maria zal zijn. Anna zou best dagen lang kunnen waken bij haar jurk, maar de zuster heeft plots geen tijd meer te verliezen. Ze helpt Anna met de jurk, de tulen sluier, de blauwe muiltjes, het gouden kroontje. Tot slot spelt ze een gouden hart op Anna's jurk. En dan stelt het gevolg zich op in formatie rond Anna. Klokslag tien uur schrijden ze allen op een teken van de zuster naar buiten waar de fanfare hen opwacht. Acht jongens van de broederschool staan klaar met de zilveren troon waarop Maria zal rondgedragen worden. Even vreest Anna dat haar benen het zullen begeven. Dan voelt ze een zacht duwtje in haar rug. Ze licht haar jurk met beide handen een ietsje op en stapt vastberaden op haar troon af. De zuster reikt haar de scepter van Maria aan. De jongens tillen de troon op hun schouders. De fanfare zet het Marialied in. Anna strekt haar rug. De processie zet zich in beweging. Langzaam slingert de processie door de straten van de gemeente. Op haar troon wordt Anna zachtjes heen en weer gewiegd. De fanfare speelt telkens opnieuw dezelfde deuntjes. De mensen langs de kant van de weg gooien rozeblaadjes naar de processie en klappen in hun handen. Waar de processie is voorbijgetrokken laat ze een spoor van rozeblaadjes achter. Anna draagt een glimlach op haar lippen. De processie komt voorbij haar huis en mama en papa, Koen en Leen komen naar buiten gehold en wuiven naar Anna. Anna licht even haar scepter in hun richting, maar ze ziet slechts verre en vage schimmen. Slechts één beeld is scherp en duidelijk: een beeldig meisje met lange gouden lokken in een hemelsblauwe jurk op een zilveren troon. Anna is de Maagd Maria op haar troon.

Anna mag de Mariakleren houden tot de kerstopvoering, waarin zij de rol van Maria zal vertolken. Ieder jaar, op de laatste schooldag voor Kerstmis voeren de zuster- en broederschool samen het kerstgebeuren op. Alle rollen liggen al jaren vast, enkel de acteurs verschillen van jaar tot jaar. Anna kent haar rol nu al vanbuiten. Als ze uitgeput aankomen in Bethlehem, zegt Maria: 'Jozef, laat ons een kamer zoeken voor de nacht.' Er wordt ook heel veel gezongen in de opvoering, en op het einde staat het podium vol met engeltjes en herdertjes. Mama bergt de jurk met bijbehoren weg in de kast, maar Anna heeft de hemelsblauwe jurk al lang niet meer nodig. Iedere avond wanneer ze haar avondgebedje zegt, is daar het beeld van het meisje met de hemelsblauwe jurk op de zilveren troon. Weldra echter beseft Anna dat dit beeld niet langer volledig is. Wanneer Maria zegt: 'Jozef, laat ons een kamer zoeken voor de nacht,' slaat Jozef zijn arm om Maria heen en antwoordt: 'Vrees niet, vrouw, ik zal voor u zorgen.' En zo, met Jozefs arm over Maria's schouders, gaan ze van herberg tot herberg, tot Maria zegt: 'Laat ons dan een stal zoeken. Ons kind zal in een stal geboren worden.' Anna weet niet welke jongen van de broederschool dit jaar Jozef zal spelen. Leen zal dit al wel weten, maar Anna durft het haar niet te vragen. Bij het beeld van het meisje op de troon voegt zich nu een arm in een bruine mouw. De arm ligt over de schouder van Maria, maar het beeld strekt niet verder dan de arm.

Op een donkere namiddag in december komt de zuster Anna uit de klas halen voor de repetitie. De eerste keren zijn er nog geen jongens bij en speelt de zuster de rol van Jozef. De zware arm in de zwarte mouw ligt over Anna's schouders. Na een paar repetities doen de jongens mee. Jozef heet Bram en is wel een hoofd groter dan Anna. Anna durft nou nog nauwelijks adem te halen wanneer ze samen door de straten van Bethlehem dolen. Terwijl Jozef met de herbergiers praat, draait hij achteloos een krul van haar haar om zijn vinger. Of soms neemt hij zijn arm van haar schouders af en geeft haar een hand in de plaats. Of weer een andere keer slaat hij zijn arm om haar middel. 's Avonds zijn er nu gewoonweg veel te veel beelden. Jozef en Maria in de stal. Jozef en Maria moe en uitgeput. Brams arm over Anna's schouder, Brams arm om Anna's middel, Brams hand over haar haar, Brams hand in haar hand. Soms brengt Bram Anna na de repetitie met de fiets naar huis. Achter op de fiets bij Bram. Waar moet ze nu met haar handen blijven? Om zijn middel? Anna houdt zich aan het zadel vast. Mama heeft Bram al een paar keer gezien en op een avond, als ze allemaal samen aan één tafel zitten, zegt mama: 'Nou, die Bram van ons Anna, dat is pas een aardige jongen. Altijd zo voorkomend.' Anna krijgt daarna niets meer door haar keel en de beelden 's avonds zijn verwarder dan ooit. Anna's handen om Brams middel? Morgen misschien. Maar als Leen wat later naar bed komt, fluistert ze: 'Anna, ben je nog wakker? Anna, doe nou niet alsof je slaapt. Ik weet dat je nog wakker bent. Anna, weet je het al van Bram en Linda? Heeft Bram het je al verteld dat ze samen zijn sinds vorige week? Linda zei dat ik het je maar moest vertellen. Ze vondt dat je altijd zo melig naar Bram zit te kijken. Anna, doe nou niet of je mij niet hoort.' Maar Anna kan helemaal niets zeggen. Anna kan helemaal niet bewegen. Anna is dood. Een dikke krop snoert haar keel af en hete tranen rollen over haar wangen. Neen, Bram had haar helemaal niets verteld. Anna weet zelfs niet wie die Linda is.

De volgende dag wordt Anna rillend van koorts wakker en mama laat de dokter komen. Een zware hand op Anna's voorhoofd en een diepe stem die zegt: 'Hou die maar een weekje onder de wol.' En dan een koele hand en de stem van mama: 'Och wat jammer, net voor de kerstopvoering. Als ze nog maar iemand anders kunnen vinden.' Handen en stemmen heel ver weg. Anna heeft er nauwelijks weet van. Anna ligt in bed en denkt koorts. Anna is koorts. Er zijn stappen in en uit de kamer, koele handen op haar voorhoofd, een stem die zegt: 'De zuster wenst je beterschap. Het meisje dat vorig jaar Maria speelde zal voor je inspringen. Ze is net de Mariakleren komen ophalen. Maak jij je maar geen zorgen.' Anna denkt enkel koorts, maar de koorts trekt weg en op de avond van de kerstopvoering is Anna voldoende hersteld om alleen thuis te blijven. Anna ligt in haar bed en denkt koorts. Anna ligt in haar bed en is stilletjes aan het doodgaan, al is er niemand die het weet. Alleen Anna weet het. En dan weer deuren die slaan, voetstappen, lachende stemmen, mama die op haar tenen de kamer binnenkomt en tegen Leen fluistert: 'Stilletjes nu, Anna slaapt als een roos. Morgen is ze weer de oude.' En niemand die weet dat Anna aan het sterven is. Leen komt aan Anna's bed staan en fluistert: 'Anna, luister even. Bram heeft zijn hoofd kaal laten scheren en de zuster was razend en Linda heeft het uitgemaakt. Het scheelde niet veel of ze hadden nog een andere Jozef gezocht.' Maar Anna verroert geen vin. Anna ademt zelfs niet. Anna is dood en als je dood bent, adem je niet. 'Je had hem moeten zien met dat kale hoofd en het lange bruine paterskleed. Het was geen gezicht,' zegt Leen nog en kruipt dan in haar eigen bed.

15 *Sneeuw*

Na school, bij het scheiden van hun wegen, nemen Britta en Helga zich voor wakker te blijven voor de sneeuw. Want nog steeds hebben de meisjes hem niet zien vallen. Wind rukt aan hun sjaals en mutsen en giert langs hun lijf. 'Ik haat rubberlaarzen,' zegt Britta en geeft Helga een vluchtige zoen.

De sneeuw valt enkel 's nachts. Al meer dan een maand valt de sneeuw iedere nacht. Tegen valavond betrekt de hemel en kort na middernacht dwarrelen de eerste vlokken naar beneden. In de stad en op het platteland blijven de lichten branden tot diep in de nacht en houden bewoners van huizen en appartementen de wacht bij het raam. 's Ochtends is de hemel weer open en zijn er geen sporen van het nachtelijke gebeuren. Alleen de sneeuw in een dichtere laag op daken en velden; alleen de slaperigheid van klerken en bedienden na hun wake bij het raam; alleen de bergen opgehoopte sneeuw hoger nog op het bordes. Auto's verrijden de sneeuw tot een bruine brij. Kinderen strooien brood voor de vogels en trekken rubberlaarzen aan om naar school te gaan. In hun boekentas zitten pantoffels voor in de klas. Op de autowegen rijden sneeuwruimers onophoudelijk af en aan. Op het viaduct waar de wind een ijslaag vormt, gaat het stapvoets. In de gangen van het schoolgebouw drupt het smeltwater van de laarzen op de dweilen die de zusters daartoe onder de radiatoren hebben uitgespreid.

Sinds de zuster Britta en Helga naast elkaar heeft gezet, is Helga al drie keer op een woensdagmiddag bij Britta thuis geweest. De eerste keer was vóór de sneeuw. Britta's moeder kwam regelmatig de kamer binnen met de vraag of ze echt niet in de tuin wilden spelen. Ze vond het zonde van het mooie weer. Toch bracht ze hun iedere keer wat lekkers op een blad, chocola, koekjes of een drankje, en bleef even bij hen op de rand van het bed zitten. Toen ze tenslotte voorstelde beneden tv te komen kijken, had Britta kort geantwoord dat ze het best naar hun zin hadden met hun tweetjes en dat ze niets nodig hadden. En toen haar moeder de kamer uit was, had Britta tegen de deur geschopt en er haar tong naar uitgestoken en had zich wenend op bed gegooid. 'Zo gaat dat nu altijd. Ze moet zich met alles bemoeien. Waarom kan ze ons niet met rust laten? Net of we nog op de kleuterschool zitten. Voor mijn verjaardag laatst heb ik een pop gekregen. Kun je je dat voorstellen? Een pop. Wie speelt er nou nog met poppen? Met ons Anna was het net eender. Die werd ook als een kind behandeld tot ze haar regels had. Toen veranderde alles. Omdat ze toen "een groot meisje" was. Zij hoeft geen hemdjes meer te dragen. Zij mag één van haar lades op slot doen zonder dat mama een duplicaat van de sleutel heeft. Zij krijgt geen poppen meer voor haar verjaardag. En dan moet je niet denken dat ze ook maar iets van wat ze krijgt met mij deelt. Neen, hoor. Altijd Anna en mama. Mama's grote dochter. Mama's flinke meid. Mij zien ze niet staan. Heb je trouwens gezien hoe ze jou zat te bespieden? Het verwondert me dat ze je nog niet heeft uitgevraagd. Over je moeder. En Manola. En je vader. Maar dat komt nog wel. Ze wacht gewoon haar kans af. Maar je moet niets loslaten hoor. Zeg alleen wat je kwijt wil. Dat doe ik ook. Ze denkt vast dat je niets te vreten krijgt thuis. Arme Helga. Met zo'n excentrieke moeder. En geen mens die weet waar haar vader uithangt.' Toen Helga naar huis ging, had ze eerst Britta's moeder in de keuken goedendag gezegd. 'Dag, mevrouw, dank u dat ik ben mogen komen.' Ze had een zak fruit en een stuk cake meegekregen voor thuis en bij de voordeur had Britta gezegd, 'Zie je wel dat ze denkt dat je thuis geen eten krijgt. Ze vindt vast dat je er ondervoed uitziet. Arme, arme Helga.'

De tweede keer dat Helga bij Britta thuis kwam, hadden ze het rijk voor zich alleen, en had Britta haar Anna's kamer laten zien. De lade waarvan alleen Anna de sleutel had, de bloesjes en jurken, de boeken en platen, het ondergoed. Britta had een b.h. van Anna gepast en Helga had met open mond naar haar gestaard tot Britta geïrriteerd gevraagd had of ze nog nooit eerder borsten had gezien. 'Zoveel is er trouwens niet te zien. Zelfs Anna's kleinste b.h. is nog altijd te groot. Maar geen paniek. Het komt wel.' Helga was rood aangelopen en had gestameld dat ze nog nooit roze tepels had gezien. 'Bij ons Anna is dat ook zo. Dat hoort bij rood haar, denk ik. Wil jij eens passen?' Maar Helga was blijven staren naar de roze tepels en Britta had haar hemdje weer aangetrokken en de b.h. weggeborgen. Rond vier uur was Britta's moeder thuisgekomen en had hun gevraagd hoe ze de middag hadden doorgebracht. Toen Britta niet antwoordde en van haar moeder bleef wegkijken naar een punt boven het raam, had Helga gezegd dat ze de middag binnenshuis hadden doorgebracht. En Britta's moeder had gezegd dat ze nooit tot flinke gezonde meisjes zouden opgroeien als ze alsmaar binnen bleven zitten. 'Net kamerplantjes.'

Pas de derde keer had Helga Britta's vader ontmoet. 'Jij bent dus het nieuwe vriendinnetje van Britta,' had hij gezegd. 'Hoe is het met je moeder? Schildert ze nog veel? En met Emmanuelle?' 'Manola,' zei Britta. 'Ja, met Manola. Komt je moeder je straks ophalen? Ga je heus het hele eind door de sneeuw lopen? Als je wil, dan breng ik je met de wagen.' Maar Helga had gezegd dat ze graag door de sneeuw liep en dat het niet ver was. Ze had haar hand uitgestoken en gezegd, 'Goede avond, mijnheer, dank u dat ik ben mogen komen.' En bij de voordeur had Britta gezegd, 'Je hoeft hen niet altijd te bedanken. Ze voelen zich zo al belangrijk genoeg.'

Voor Helga is het een koud kunstje om wakker te blijven voor de sneeuw. Iedere nacht, kort na twaalven, wordt ze door haar moeder gewekt om naar de sneeuw te komen kijken, maar iedere nacht draait Helga zich om en slaapt verder. 'Je weet niet wat je mist,' zegt haar moeder steevast bij het ontbijt. 'Als Manola me niet tegenhield, zou ik in mijn blootje gaan dansen in de sneeuw. Heerlijk moet dat zijn.' 'Je moet toch een beetje medelijden hebben met de buren,' lacht Manola. 'Die weten zo al niet waar ze moeten kijken.' 'Och, dan hebben ze tenminste iets om over te praten. Ze zouden ons dankbaar moeten zijn. Manola, beloof me dat we het eens doen. Dan nemen we eerst een heet bad en rennen naar buiten en rollen in de sneeuw. Dat doen ze in Finland ook. Zo krijg je het sauna-effect.' Britta echter slaagt er niet in wakker te blijven voor de sneeuw. Ze mag van haar moeder het licht op haar kamer niet laten branden en Anna wil haar haar wekker niet lenen. 'Geloof me,' zegt ze tegen haar zus, 'jij hebt je slaap broodnodig. Dat is belangrijker dan alle sneeuw ter wereld. Mama heeft gelijk, hoor, al besef je dat nu misschien nog niet.'

197

In het huis dat haar vader voor haar moeder heeft laten bouwen, ontdekt Helga voor het eerst dat ze bloedt en besluit dit voor zich te houden. In de tuin schept ze sneeuw en wast zich met sneeuw. In de kast van haar moeder vindt ze wat ze nodig heeft.

Zolang er sneeuw ligt en het vriesweer aanhoudt, mogen de meisjes tijdens de speeltijd in de klas blijven. De kleintjes gaan toch naar buiten om in de sneeuw te spelen en sneeuwmannen te maken, maar de meisjes van de hogere klassen blijven binnen tenzij ze elkaar vertrouwelijk wensen te spreken. Arm in arm gaat het dan de speelplaats rond. En omdat Anna geweigerd heeft haar haar wekker te lenen, troont Britta Helga mee en doet haar uitgebreid het relaas. Hoe Anna keek. En wat ze zei. En hoe ze ermee dreigde het tegen hun moeder te zeggen. En dat die het toch niet zou begrijpen. 'Geloof het of niet,' zegt ze, 'maar mijn ouders gaan gewoon zoals altijd om klokslag elf uur slapen. Wat hen betreft is er helemaal niets aan de hand en gaat alles zijn gewone gang. Het hele land blijft wakker voor de sneeuw. De kranten staan er bol van. Zelfs de zusters houden iedere nacht de wacht. Maar mijn ouders gaan om elf uur slapen en mijn zus weigert me een wekker. Ik word nog gek in dat huis.' Even besluipt Helga het verlangen haar vriendin deelgenote te maken van haar geheim, maar Britta is nog lang niet uitgepraat en het ogenblik gaat voorbij.

Het is tekenles en de zuster zegt dat ze nog maar eens zullen proberen de sneeuw te schilderen. 'Wie van jullie heeft de sneeuw al zien vallen,' vraagt ze en kijkt glimlachend de klas rond. 'Ik, zuster,' zegt Britta, en steekt haar hand hoog op. Ik kon niet slapen vannacht en lag alsmaar te woelen. En toen zag ik plots op mijn wekker dat het tien voor twaalf was. Ik ben meteen uit bed gesprongen en heb gewacht bij het raam. De minuten kropen voorbij en ik vreesde al dat het er niet meer van zou komen vannacht, of dat het pas veel later rond drie of vier uur zou beginnen te sneeuwen. Ik begon te rillen en te klappertanden van de kou en was bijna weer in bed gekropen toen plots de lucht zich vulde met sneeuwvlokken. Prachtig was dat! Net een sprookje! Ik kreeg er tranen van in mijn ogen. Ik weet niet hoe lang ik daar bij het raam heb gestaan, maar toen ik tenslotte toch ging slapen, droomde ik dat ik danste in de sneeuw en dat de sneeuwvlokken sterren waren in mijn haar en op mijn jurk!' 'Wel Britta,' zegt de zuster, 'dat moet mooi zijn geweest. Jij weet dus wat je kunt schilderen vandaag. De anderen zullen het zich maar moeten inbeelden. Dit keer geen sneeuwmannen of sneeuwballen, hoor. Enkel het wiegen van de sneeuwkristallen, langzaam, heen en weer, of ze nooit de aarde zullen bereiken. Of wensen te bereiken. Begin maar.' Britta gaat meteen aan de slag. Ze is zo druk in de weer met verfjes en penselen dat ze de verwonderde blik van haar vriendin niet merkt. 'En jij, Helga?' vraagt de zuster. 'Wat staat er voor jou op het programma vandaag? Borduren? Zal ik bij je komen zitten?'

Voor zover Helga het zich kan herinneren, heeft ze nog nooit een tekening gemaakt op school. Ze vermoedt dat ze in de kleuterklas wel mee gekleurd, geknipt en geplakt zal hebben, maar echt met verf werken heeft ze nog nooit gedaan. Ook thuis niet. Ze heeft er ruzie over gekregen. Is moeten nablijven op school. Heeft strafregels geschreven. Gedichten vanbuiten geleerd. In de hoek gestaan. De zusters zijn met haar moeder gaan praten. De pastoor is erbij geroepen. Een psycholoog heeft haar geval ontleed. Maar het mocht niet baten want Helga bleef tijdens de tekenles met gekruiste armen het belsignaal afwachten. Er zou weinig verandering in de situatie zijn gekomen, ware het niet dat de huidige zuster de gewoonte had in de klas te borduren terwijl haar leerlingen bezig waren met sommen of tekenen. Het leek vanzelfsprekend dat Helga haar tijdens de tekenles een handje toestak. En al houdt Helga helemaal niet van borduren, toch vervult het haar met rust samen met de zuster het één of andere patroon af te werken. De zuster zegt dat dit kleed voor de kloostertafel is bestemd, maar Helga heeft het gevoel aan een altaarkleed te werken. Zo fijn is de stof, zo ingewikkeld het patroon, zo sereen de glimlach op de lippen van de zuster. Wanneer Helga die dag opkijkt van haar werk, merkt ze dat Britta haar tekenblad met witte stippen heeft gevuld. En omdat het blad zelf ook wit is, lijkt het of er helemaal niets opstaat.

'Wat zou je ervan denken,' zegt Britta die dag bij de scheiding van hun wegen, 'als ik eens bij jou thuis zou langskomen?' Er is geen wind en de meisjes hebben geen haast. Britta concentreert al haar aandacht op haar boekentas die ze op de punten van haar rubberlaarzen balanceert. Als ze wil kan ze haar tas op haar rug dragen, maar dat, zegt Britta, is voor kinderen. 'En je ouders dan?' vraagt Helga. 'Ik verzin wel wat. Misschien zeg ik dat de zuster me gevraagd heeft na te blijven. Of dat ik naar iemand anders ga. Iemand bij wie ze geen telefoon hebben. Dan kunnen ze het niet controleren.' 'Waarom zeg je niet gewoon dat je bij ons komt? Dat is toch het eenvoudigste. Ik ben toch al bij jullie geweest.' 'Ja, dat weet ik wel, maar ze willen er niet van horen. Ze vinden jou wel aardig, erg aardig zelfs, maar ze hebben liever dat ik uit de buurt blijf van je moeder en Manola. Manola kunnen ze nog wel lijden, al is ze zo'n vreemd donker type, maar over je moeder kunnen ze geen goed woord zeggen. Je zou mijn moeder soms over jouw moeder bezig moeten horen. Dat je moeder alleen maar vrouwen schildert. Naakte vrouwen. En dat ze jou ook model laat staan. En naar het schijnt zou jouw moeder niet met verf maar met, met, wel niet met verf schilderen.' 'Mijn moeder verft met plakkaatverf en aquarel. Waarmee zou ze volgens jouw moeder dan wel schilderen?' 'Wel, er wordt gezegd, de mensen zeggen dat ze met, met, och kom, Helga, je weet net zo goed als ik dat je moeder dracula wordt genoemd. En de mensen zeggen dat dan tegen mijn moeder. Dat ik iedere dag naar huis ga met de dochter van dracula. En dat ze tóch niet voorzichtig genoeg kan zijn. En dat jouw vader nooit getrouwd is geweest met jouw moeder. Dat hij van haar weg is gegaan omdat ze met, omdat ze dus niet met verf schildert. En omdat je moeder per se Manola in huis wou. Heb jij je vader eigenlijk ooit gezien?' 'Neen,' zegt Helga, 'en ik zal er ook geen verhaal over verzinnen zoals jij daarnet in de klas over de sneeuw.' En ze draait zich bruusk om en haast zich naar huis. Thuis op haar kamer staat een foto van de man die ze nooit ontmoet heeft en die haar vader is. Hij poseert voor het huis met het grote atelier, het huis dat hij voor haar moeder heeft laten bouwen. Manola, van wie Helga de foto heeft gekregen, zegt dat ze dateert van voor Helga's geboorte want dat ze hem nadien niet meer hebben gezien. Helga heeft daar echter haar eigen ideeën over, en hoort Manola's verhalen over haar vader liever niet. De gedachte dat zijn doen en laten in het dorp besproken wordt, vervult haar met walging. Soms heeft ze het gevoel dat haar moeder er net eender over denkt, want zover ze zich kan herinneren heeft die zijn naam nog nooit uitgesproken. Er staat zelfs geen foto van hem in haar atelier al weet Helga dat ze erg blij is met de lichte warme ruimte die hij voor haar heeft ontworpen en waar ze het grootste gedeelte van de dag en soms ook van de nacht doorbrengt. Ze vermoedt zelfs dat haar moeder zijn foto liever weg zou zien van haar dochters nachtkastje. Maar dat haar moeder dracula wordt genoemd laat haar koud. Het is trouwens een naam die Manola en zijzelf vaak gebruiken. Achter haar rug dan. Als ze bij het ontbijt het erover heeft dat vrouwen hun eigen lichaam niet kennen. Dat menstruatie uit de taboesfeer moet worden gehaald. En dat het toch godgeklaagd is dat er nog steeds vrouwen zijn die niet weten dat ze een clitoris hebben. Maar dat dat ook geen wonder mag heten gezien mannen de coïtus bedrijven alsof vrouwen geen clitoris hadden en alsof het vrouwelijke orgasme niet bestond. Telkens opnieuw komt haar moeder tot het besluit dat alle vrouwen zouden moeten leren zich te masturberen. 'Als ik minister van volksgezondheid was,' zegt ze dan, 'stelde ik masturbatiesessies verplicht voor alle vrouwen van dit land. Dan pas zou er schot in de zaak komen.' En op haar tiende verjaardag had Helga van haar moeder een spiegeltje cadeau gekregen, 'opdat ze zichzelf zou leren bekijken.' Wanneer haar moeder voor de zoveelste keer op dreef is, denkt Helga alleen hoe vreselijk lelijk die woorden wel klinken en dat dat wellicht te wijten is aan de overvloed aan i's en r's. En Manola fluistert haar na afloop meestal toe dat dracula weer in vorm is vandaag. Toch was Manola ontstemd toen Helga zodra ze de kans schoon zag, haar spiegeltje had weggegooid. 'Je moeder formuleert het allemaal wat vreemd,' had ze gezegd, 'maar ze heeft gelijk. Het is heus belangrijk voor je vertrouwd te zijn met je lichaam. Als je wil kan je mijn spiegeltje lenen.' Maar Helga denkt alleen hoe lelijk die woorden wel zijn. En ze denkt aan de biologieles op school waarin de zuster zegt: 'Het lichaam van de vrouw is een huis met vele woningen.' Ze kijkt over de hoofden van de meisjes heen naar het kruisbeeld aan de muur en zucht. 'Het is een beeld met vele gezichten,' zegt ze en slaat haar ogen neer.

Die avond zegt Helga tegen haar moeder dat ze de volgende dag schriftelijke overhoring heeft en dat ze niet gewekt wenst te worden in het midden van de nacht. Maar kort na twaalven wordt ze toch wakker en voor het eerst sinds de sneeuw valt staat ze op om ernaar te kijken. Er brandt licht in het atelier van haar moeder, maar de tuin is leeg. Tijdens de tekenles de volgende dag kan Helga haar aandacht niet bij haar borduurwerk houden. Haar ogen dwalen telkens weer af naar het raam waar ze elk ogenblik de sneeuw verwacht. 'Ik denk dat we sneeuw krijgen,' fluistert ze, maar de zuster borduurt verder en antwoordt zonder op te kijken. 'Niet vóór de nacht valt. Nooit vóór middernacht.'

Woensdagmiddag gaat Britta met Helga mee naar huis. 'Wat heb je thuis verteld?' vraagt Helga terwijl ze door de sneeuw stappen. 'Iets over nablijven om sommen te maken. Zo dom dat ze het geloofden.' 'Ben je niet bang?' 'Waarom zou ik bang zijn? Ze kunnen me toch niets doen. Ik mag zo al niets. Het kan onmogelijk erger.' Vanuit haar atelier ziet Helga's moeder hen komen. Voor het eerst in al de jaren dat haar dochter op school zit, ziet zij haar in het gezelschap van een vriendin naar huis komen, en nog vóór Helga de sleutel in het slot kan steken, zwaait ze de deur open om hen te verwelkomen. Haar kiel zit onder de verf en ze houdt twee penselen in haar linkerhand, en Helga weet meteen dat ze nou net zogoed naar haar kamer kan verdwijnen. Maar ze wacht nog en loopt mee met haar moeder die hen voorgaat naar de woonkamer, het atelier vooralsnog voorbijloopt, een drankje aanbiedt, Manola voorstelt, en Britta ruim de tijd geeft om de gouaches die in de woonkamer hangen rustig op te nemen. Britta is om woorden verlegen. Ze aarzelt omwille van het onverholen schroomloze naakt van Manola's zware lijf op het doek. De brede heupen en dijen, het gitzwarte schaamhaar, de vetplooien, de donkere tepels, de hangborsten. En daarnaast, in schril contrast, een tenger kinderlichaam met te lange ledematen en grote starre ogen. 'Ben jij dat,' zegt ze tenslotte en kijkt Helga vragend aan. 'Ja,' antwoordt Helga's moeder, 'dat moet zowat de laatste keer zijn geweest dat ik Helga heb weten over te halen om voor mij te poseren.' 'Ik vind het erg mooi,' zegt Britta, en Helga's moeder lacht en zegt dat ze blij is dat haar werk in de smaak valt, maar toch neemt ze Britta nog niet mee naar het atelier. 'Kom,' zegt ze, 'ik laat je de tuin zien. Heb je zin om een sneeuwvrouw te maken?' 'Oh, wat leuk,' zegt Britta, 'Kom je mee een sneeuwvrouw maken, Helga?' En omdat Helga Manola achter Britta's rug ziet knipogen, zegt ze, 'ja hoor,' en doet mee. De sneeuwvrouw krijgt zo'n brede heupen dat het net lijkt of ze zwanger is. Eén van haar borsten wil maar niet blijven zitten, en tenslotte geven ze het op en nemen genoegen met een sneeuwvrouw met één borst. 'De heupen moeten maar compenseren voor de borst,' zegt Helga's moeder en Helga haalt opgelucht adem als ze merkt dat haar moeder de anatomie van de sneeuwvrouw verder ongemoeid gaat. 'En nu,' denkt Helga, 'gaat ze pannekoeken bakken voor Britta, en als Britta dan ongeveer barst van nieuwsgierigheid zal ze haar even het atelier laten zien. Maar de rest is voor de volgende keer.'

Het is laat wanneer Britta naar huis gaat en in de gang van Helga afscheid neemt. 'Je moeder is een fantastische vrouw,' fluistert ze en geeft haar vriendin een zoen. De volgende dag op school kijkt ze met glinsterende ogen voor zich uit, zodat de zuster af en toe met gefronste wenkbrauwen het gedrag van haar roodharige leerling gadeslaat. Zelfs tijdens de speeltijd verroert ze zich niet. Pas de maandag daarop verbreekt ze het stilzwijgen en troont Helga mee naar de speelplaats. Arm in arm banen ze zich een weg tussen de sneeuwballen en sneeuwmannen van de kleintjes door. Britta praat geanimeerd over een nieuwe trui die haar zus heeft gekregen en die haar eigenlijk toekomt, maar breekt abrupt haar verhaal af, zwijgt en formuleert tenslotte aarzelend haar vraag. 'Ze zal je maar al te graag schilderen,' antwoordt Helga. 'Ze is een beetje uitgekeken op Manola en ik heb al in geen jaren voor haar geposeerd. Je moet er maar eens met haar over praten. Zijzelf zal er niet meteen over beginnen omdat ze geen druk op je wil uitoefenen. Trouwens, ze zal ook wel weten hoe je ouders over haar denken. Wat ga je hen dit keer wijsmaken? En al die volgende keren? Je kunt toch niet blijven liegen. Vroeg of laat komt zoiets toch uit.' 'Och, ik verzin wel wat, en als het uitkomt, dan komt het maar uit. Daar lig ik niet van wakker. Helga, denk je echt dat jouw moeder mij wil schilderen? Denk je echt dat ze iets in mij ziet?' 'Ja, Britta, dat denk ik echt. Dat weet ik zelfs,' zegt ze, en ze laat de arm van haar vriendin los en keert naar de klas terug. Nu ziet ze Britta met de ogen van haar moeder. Het rode haar, de blanke huid, de rozige tepels, de grijze ogen, de sproeten, de jonge borsten, het eerste schaamhaar. En ze begrijpt het verlangen van de schilder naar het model. Naar dit model. Tijdens de tekenles is het weer de sneeuw die ze moeten schilderen, maar Britta zegt zich niet goed te voelen en vraagt verlof om de klas te verlaten.

Helga wil er niet bij zijn. Terwijl Britta voor haar moeder poseert in het atelier, blijft ze boven lezen op haar kamer. Manola komt met haar kletsen en vraagt of ze zin heeft om de stad in te gaan, maar Helga zegt dat ze liever op haar kamer blijft. 'Straks moet je echt toch eens gaan kijken in het atelier. Je moeder is nu bezig met schetsen en het belooft wat te worden. Ze was aan een nieuw model toe, weet je. Je had niet beter kunnen kiezen.' 'Ik heb haar helemaal niet gekozen,' zegt Helga. 'Neen, natuurlijk niet, maar je wist toch ook dat je moeder haar met de ogen van een schilder zou bekijken. En dat ze gefascineerd is door meisjeslichamen. De overgang van kind naar vrouw. Jij zit nou ook volop in die fase, maar goed, daar zullen we het nu niet over hebben. Je moeder zou je nooit hebben willen dwingen, en het probleem is nu toch opgelost.' 'Heeft Britta al een spiegeltje van haar cadeau gekregen?' vraagt Helga. 'Waar jij aan denkt. Dat weet ik niet hoor. Ik laat hen zoveel mogelijk alleen. Ik wil hen niet afleiden. En dus heb ik nu een zee van tijd voor mezelf.' 'Ze zal jou toch ook nog willen schilderen. Britta kan toch maar af en toe komen. Haar ouders weten van niets. Die mensen worden niet goed als het hun ter ore komt.' 'Is jouw moeder zich daarvan bewust?' 'Dat weet ik niet. Ik weet niet wat Britta haar allemaal vertelt. Ik weet alleen dat ik mij niet meer durf te laten zien bij Britta thuis. Want dan val ik door de mand.' 'Misschien moet er maar eens iemand van ons met haar ouders gaan praten. Misschien loop ik er bij gelegenheid wel eens langs,' zegt Manola en verlaat Helga's kamer.

Op school spreekt Britta met geen woord over de sessies in het atelier. Zelfs met Helga niet. Iedere woensdagmiddag en vaak ook zaterdagmiddag gaat ze met Helga mee naar huis en verdwijnt met Helga's moeder in het atelier. Helga vraagt zich af wat Britta haar ouders op de mouw speldt, want voor zover ze weet, is noch Manola, noch haar moeder al met hen gaan praten.

Wanneer Helga op een woensdagmiddag naar beneden komt, treft ze haar moeder en Britta op het bankstel met hun armen om elkaar heengeslagen. 'Helga,' zegt haar moeder, 'Britta heeft vandaag voor het eerst gebloed,' en Helga merkt dat zowel haar moeder als Britta tranen in hun ogen hebben. 'Oh,' zegt Helga, en gaat terug naar haar kamer.

Manola zet de eerste stap. Met een map schetsen van hun dochter onder de arm, belt ze bij Britta's ouders aan en praat honderduit over de dialoog tussen artiest en model, en over hoezeer hun roodharige dochter Helga's moeder wel inspireert. Britta's ouders kijken van de schetsen naar hun dochter, en terug naar de schetsen alsof ze hun dochter nu voor het eerst zien. Anna wordt erbij geroepen, de gelijkenis met Britta wordt besproken, en er wordt gevraagd of ze misschien één van de schetsen mogen houden. Manola laat de hele map achter zodat er rustig kan worden gekeurd en gekozen, en drukt hen op het hart te komen kijken in het atelier wanneer het schilderij van hun dochter af is. Britta krijgt zoenen van haar zus en schouderklopjes van haar ouders. En alles kan nu en alles mag. Soms gebeurt het zelfs dat Britta 's zaterdags blijft slapen, zodat er de volgende dag kan worden verder gewerkt. En het spreekt vanzelf dat Britta meegaat naar Parijs voor een weekend. 'Le Petit Palais,' zegt Helga's moeder, 'daar moet je geweest zijn, Britta. Daar hangen gewoon de meest waanzinnige schilderijen bij elkaar.' Helga zegt dat ze het te koud vindt om in Parijs rond te lopen en dat ze dit keer liever thuisblijft. 'Je kunt toch onmogelijk alleen thuisblijven,' zegt Manola. 'Dan blijf ik ook thuis. Ik ben al zo vaak in Parijs geweest. Mij maakt het niet uit. Trouwens van al die sneeuw krijg ik toch maar koude voeten.' Maar Helga verzekert haar dat ze er niet tegenop ziet alleen te zijn. Integendeel. 'Maar dat is genoeg om gek te worden, een heel weekend alleen in dit huis zonder een mens om mee te praten.' Maar Helga herhaalt dat ze niets liever wil. 'Echt waar, Manola,' zegt ze, 'ik zou graag het huis eens voor mij alleen hebben.'

Het wordt avond en Helga is alleen in het huis dat haar vader voor haar moeder heeft laten bouwen. De foto van de man die haar vader is, staat op haar nachtkastje. De doeken hangen in de gang, het trappenhuis, de woonkamer. In het atelier liggen schetsen en voorstudies verspreid over de vloer, de schappen, de tafel. Op de ezel staat het schilderij dat bijna af is. De sneeuwvrouw met de ene borst staat in de tuin. Elf uur en Helga heeft nog ruim de tijd om alles in gereedheid te brengen. Ze begint op de bovenste verdieping en werkt systematisch kamer na kamer af. Overal waar ze voorbijkomt gooit ze de ramen wagenwijd open. Alleen haar eigen kamer slaat ze over. En wanneer ze tenslotte de hoge ramen van het atelier heeft opengezet, zijn de ramen van haar eigen kamer de enige die gesloten zijn. Kort na middernacht begint het te sneeuwen.

Sneeuwvlokken wiegen naar beneden en dwarrelen naar binnen. Aarzelend eerst. Sneeuw valt op vloerkleden, kasten, linoleum, bedspreien en tafelbladen. En dringt verder. Naar de muren, de wandtapijten, de doeken en de schetsen. Het schilderij op de ezel centraal in het atelier. Sneeuwwater mengt zich met gouache en aquarel. Slierten kleur op doeken en muren. Verf druppelt op vloerkleden. Kleurvlekken vormen zich op de grond. Contouren worden uitgewist. Sneeuw nestelt zich in het huis en spreidt wit over kleur. Op haar kamer in haar bed hoort Helga het geruis van de sneeuw op zijn tocht door het huis. Ze trekt de donsdeken over haar hoofd en draait zich op haar zij om de slaap te kunnen vatten.

16 *Bezoek*

Het licht is flets en grijs. Nevel van vocht en neergeslagen rook hangt tussen de huizen, zelfs overdag kan je alleen lezen bij elektrisch licht. Winter maar geen sneeuw of vrieskou, alleen eindeloos miezeren uit een schrale, grauwe lucht. We zien de wereld achter glas: de voorruit van de wagen, de ramen van ons huis, het scherm van de televisie. Wie zich op straat waagt, ademt uitlaatgassen in. We bedenken een list, zetten de gebruikelijke tijdschema's op hun kop, leven zoveel mogelijk 's nachts. We gaan slapen als de eerste tram door de straat rijdt, horen op de trap zijn getingel, denken: zij gaan naar hun werk en wij gaan naar bed. Als we opstaan heeft het geen zin de gordijnen open te trekken zodat we het voortuintje niet hoeven aan te zien: het gras dat we in de zomer te hoog hebben laten opschieten en dat neergeslagen ligt tegen de grond, de vuilniszakken, de dofgele bal die kinderen achtergelaten hebben in de haag – had er een nest gezeten het zou zoveel draaglijker zijn geweest. Ik verwacht een vage, niet nader bepaalde straf – ziekte, lusteloosheid, verval – maar er gebeurt niets. Het is alsof we blindelings een druk kruispunt oversteken en niet overreden worden, en we doen het opnieuw, blindelings en lachend, en we worden niet geraakt, we zijn immuun. We springen van een torenhoog flatgebouw, we storten niet te pletter, we vliegen. Had men mij toen ik twintig was gevraagd wat geluk voor mij betekende, ik zou een lange houten tafel getekend hebben met daaraan alle mensen die me dierbaar waren, die ik mijn vrienden noemde. Op de tafel aardewerken kommen en een pan dampende soep. Eén voor één schenk ik de kommen vol, reik ze mijn vrienden en vriendinnen aan, beantwoord hun glimlach. Vandaag teken ik in gedachten de tafel waaraan wij werken 's nachts, de zware gordijnen, het gele licht. Ik heb me in jaren niet zo gelukkig gevoeld. Ik heb me jaren niet gelukkig gevoeld.

Mijn ouders stonden nooit na acht uur op, zelfs niet op zondag. Later in bed liggen dient tot niets, zei mijn moeder, en ik dacht aan ledigheid die des duivels oorkussen is en aan ochtendstond en goud in de mond. Op school drukte de non ons op het hart om met de handen boven het laken gevouwen in slaap te vallen opdat, indien het de Heer behaagde ons in de nacht tot zich te roepen, wij in gebedshouding voor Zijn Troon zouden verschijnen. Iedere dag oefenden we in de klas de houdingen die in bed geoorloofd waren. We waren zes jaar oud. Hemel is rijstpap, Hel is sulfer en rook. Wie de voorschriften van de non naleeft, wordt gered van het eeuwige vuur. Ik vouwde mijn handen boven het laken, 's ochtends lagen ze in verboden gebied. Duivels met bokkepoten en een sikkebaard schepten extra kolen op het vuur. Groot was het helse jolijt. En dan was er die andere hel die huwelijk heette: een dronken man, huilende kinderen, geen brood op de plank. Alleen een leven van kuisheid en devotie kon ons behoeden voor dit lot. Alleen achter kloostermuren waren we veilig. De non draagt een zilveren ring aan haar linkerhand. De non is de bruid van God. Zalig zij die uitverkoren zijn want ze zullen het Huis van de Vader betreden. In het duister van de biechtstoel voegde ik onkuisheid aan het lijstje van mijn zonden toe. Eerwaarde Vader, ik heb gezondigd. Hoe kon ik onschuldig zijn? De wereld was een poel van verderf. Achter het raster prevelde de priester de absolutie. Ik zou niet branden in de hel. En ik werd wakker. Ochtend na ochtend werd ik wakker. Het behaagde de Heer niet mij tot zich te roepen.

In de week liep de wekker om kwart over zeven af. We hoorden hem rinkelen, reageerden niet, luisterden naar de stap van mijn moeder in de gang, op de trap. Een kwartier later werden de kinderen gewekt. Het gezin was een geoliede machine, ieder kende zijn taak, alles ging vliegensvlug. Ik ben nooit te laat op school gekomen, zou het niet mogelijk hebben geacht. Zelfs tijdens de ziekte van mijn moeder liep de wekker om kwart over zeven af, hoorden we haar stap in de gang, werden we om halfacht gewekt. Mijn moeder droeg haar peignoir en had haar haar niet opgestoken, maar verder was er geen verschil. Wij waren een huis van sterke mensen. Wij kenden kinderziekten en kwetsuren, maar kinderziekten zijn gezond en kwetsuren horen bij een normale jeugd. Ik kan me niet herinneren dat mijn ouders ooit ziek zijn geweest, behalve die keer toen mijn moeder ochtend na ochtend in haar peignoir aan de ontbijttafel verscheen en haar haar niet vastmaakte in een knoet. Prachtig, gitzwart haar. Iedere avond als ze klaar was met haar werk, haalde ze er de spelden uit, borstelde het een kwartier lang en liet het de rest van de avond loshangen 'om het te laten ademen.' Haar moet ademen, zei mijn moeder. Ze draagt het kort nu, kreeg de spelden niet meer op hun plaats vanwege haar artritis, vond dat mijn vader er niets van terechtbracht. 'Mannen hebben daar geen verstand van,' zei ze. Ik vermoed dat ik als ik een nachtje in mijn oude bed zou slapen, om kwart over zeven het gerinkel van de wekker zou horen en wat later de stap van mijn moeder op de trap.

Het huis van mijn ouders was een huis van geheimen. Deuren gingen open en vielen in het slot, stappen op de trap, wind. Het huis was nooit stil. Buren sloegen met deuren, duiven roekoeden achter in de tuin, houtwerk, bakstenen en leidingen registreerden de schommelingen van het weer. Werken, noemde mijn moeder dat. 'Het huis werkt.' In mijn taalboek staat: het huis kraakt in zijn voegen. Als een bus door de straat rijdt davert mijn bed mee. Op de overloop kasten met laden waarvan alleen mijn moeder de sleutel heeft, in de vertrekken onder ons gedempte stemmen. Mijn zus ligt met haar oor op de grond om de gesprekken beneden op te vangen. 'Wat zeggen ze?' 'Stil ik kan niets horen door jouw gekwek. Ik denk dat het over ons gaat.' Een neef, een aangetrouwde neef belt aan in het midden van de nacht, niet één keer maar herhaaldelijk. 's Ochtends zit hij aan de ontbijttafel. Hij eet niets, roert in zijn koffie, laat zijn hoofd hangen. Zijn neus is rood en gezwollen, zijn vingertoppen zijn nicotinegeel. Hij is getrouwd met een nicht van mijn moeder. Ze heeft een ziekte in haar kop. Gelukkig hebben ze geen kinderen. 'Mama, waarom kan hij niet in zijn eigen huis slapen? Waarom komt hij bij ons?' 'Stil, kindje, geen vragen stellen. Je weet wat er met nieuwsgierige meisjes gebeurt.' Nieuwsgierige meisjes krijgen een neus als Pinocchio. De neus wordt een tak, aan de tak groeit een blad. Zijn vrouw is een volle nicht van mijn moeder. Haar moeder en mijn grootmoeder zijn zussen. Er bestaan geen medicamenten voor de ziekte die ze heeft. Het is iets in haar kop, niet zoals de ziekte van mijn moeder waarvan je genas als je deed wat de dokter zei. Kinderen, stil zijn, mama moet rusten, mama moet genezen. En mama genas.

Op zaterdagochtend heette het geheim soep. 'Het geheim van soep,' zei mijn moeder, 'zijn soepbeenderen.' Rond halftwaalf lagen de dampende beenderen op de houten keukentafel, merg glibberde eruit. Mijn moeder strooide er zout op, smeerde het op een snee roggebrood, at het op. Om halféén schepte ze onze borden vol. Soep is gezond, net als merg en spinazie. In de pan zat soep voor vijf dagen. Donderdag en vrijdag waren soeploze dagen.

Omdat we weinig of geen daglicht zien, eten we zo gezond mogelijk: slaatjes, rauwe groenten, fruit, yoghurt, maar geen merg. Merg zit in soepbeenderen en die worden in de supermarkt niet verkocht. Soms staan we kort na de middag op en rijden naar een gebied dat op de kaart aangeduid staat als groene zone. We parkeren de wagen, lopen tussen kale bomen, zien in de verte schoorstenen, rook, een galgenveld van kranen. We naderen een rivier, de grond wordt zompig, onze schoenen en broekspijpen zijn met modder bespat. Minutenlang kijken we naar de industrie aan de overkant. We waren hierheen gereden omdat we als de dood zijn voor kanker. We keren op onze stappen terug, lopen naar de wagen. Winter, maar er zitten knoppen aan de bomen en aan sommige takken groeien geelgroene dichtgevouwen blaadjes. Voor de oorlog, zei mijn grootvader, was winter winter en zomer zomer. Maar bommen hebben gaten in de lucht gemaakt, de bombardementen hebben de seizoenen ontregeld. Mijn grootvader bedoelde de oorlog van '14-'18. Het was zijn verklaring voor herinneringen aan lange warme zomers en barre vrieswinters.

Onlangs kregen we bezoek van vrienden uit de Westhoek. Hun tuin was een deel van het slagveld geweest tijdens de oorlog die gaten sloeg in de lucht. Ze kunnen geen spade in de grond steken of ze stuiten op oorlogsresten – leeggelopen obussen, granaten, helmen. Ze hebben al twee keer de ontmijningsdienst over de vloer gehad, twee keer godzijdank loos alarm. De hele streek zit vol ijzer, de mensen leven ermee. Maar nu is hun verteld dat ooit een Britse soldaat is opgegraven in hun tuin. Een vorige eigenaar wou een boom planten omdat zijn vrouw zwanger was van hun eerste, maar zijn put was nog geen halve meter diep of hij raakte met zijn spade een hard voorwerp. Hij dacht dat het de gebruikelijke rommel was, groef verder, merkte hoe hij zich had vergist. De soldaat hield een geweer tegen zijn borst geklemd: zijn uniform was intact maar verpulverde bij de aanraking met het licht. De man geloofde niet in toeval. Binnen de maand verhuisde hij, weg van de tuin en het graf van de Britse soldaat. De boom plantte hij in zijn nieuwe tuin maar het kind werd nooit geboren. Kort na de verhuizing viel zijn vrouw van de trap en had een miskraam. Aan de boom was nooit een blad gegroeid. Wat moeten wij met dit verhaal? Waarom wordt het ons helemaal vanuit de Westhoek gebracht? Ik kijk naar jou, jij kijkt naar mij, we schenken de glazen vol, zetten een plaat op, glimlachen of we niets hebben gehoord. De Britse soldaat, de miskraam, de obussen en oorlogsgraven dwarrelen het huis uit. Ze verpulveren tot stof.

Soms wordt gevaar ons huis binnengedragen. Een man komt aan onze tafel zitten en zijn woorden zijn slangen die uit zijn mond kruipen, op tafel kronkelen. 'Ik weet wel dat jullie niet graag hebben dat ik jullie bezoek. Ik ben te min voor jullie. Jullie vinden mij niet goed genoeg.' Hij heeft gedronken die man – zijn hoofd waggelt en hobbelt op zijn lijf, de slangen dansen in een walm van alcohol – maar de klank van jouw stem bezweert de slangen, dociel wiegen ze naar buiten. De man kan niet anders dan ze volgen, de vochtige nacht in. Dit huis is veilig. Binnen deze muren, achter deze gordijnen hoef ik niets te vrezen. In bed ligt jouw lijf tegen het mijne, we verstrengelen tenen met elkaar. Ik heb in andere huizen en met andere mensen gewoond, ik heb andere huizen gezien – het huis waar mijn overgrootmoeder twaalf kinderen grootbracht bijvoorbeeld. Waar haalde ze het geld vandaan om hun alle twaalf eten en drinken te geven? Ze had handen van goud, zegt mijn moeder. Ze kon toveren met haar handen. Maar waar legde ze hen te slapen? In een schoenendoos? Onder de trap? Het huis telde drie kleine slaapkamers. Ik weet waarover ik het heb als ik denk: we hebben het goed.

Mijn ouders waren lid van een wandelclub en gingen iedere zondag op stap. Afspraak was om twee uur aan de kerk en om zes uur waren ze terug. Soms namen ze de kinderen mee, soms brachten ze ons naar een zus van mijn moeder. We kregen er taart en mochten de hele middag televisie kijken. Rond Kerstmis en Pasen organiseerde de club een wandelweekend en werd er in een jeugdherberg overnacht. Ook dan gebeurde het dat mijn ouders een kind of een paar kinderen of helemaal geen kinderen meenamen. Mijn zus drukte haar oor tegen de slaapkamervloer en bracht verslag uit van de geplande manoeuvres. 'Zondag ga jij mee,' zei ze bijvoorbeeld, maar ze kon niet achterhalen waarom nu eens het ene kind en dan weer het andere werd geselecteerd.

Mijn broer belt me weleens de laatste tijd met vragen over dit en vragen over dat. Of ik me nog die tocht herinner in de Hoge Venen. Of ik erbij was toen. En of ik ook zo'n hekel had aan die jeugdherbergen. Hij kon de slaap niet vatten op de enge britsen, zag schaduwen op de kale muren, rilde onder de dunne deken. Vooral de nacht in de Hoge Venen staat in zijn geheugen gegrift. Hij lag in het onderste stapelbed, keek naar de bult van mijn vaders lichaam in het bed boven hem, was ervan overtuigd dat het door de matras en de vering zou storten. Neen, zeg ik, ik was er niet bij die keer. Misschien moet hij mijn zus eens bellen? Het is alsof hij het allemaal wil reconstrueren en begrijpen om het daarna te vergeten. Mijn zus belt nooit. Zij houdt zich met andere dingen bezig.

Op een avond moet mijn zus tijdens het luistervinken in slaap gevallen zijn, want toen mijn ouders gingen slapen en voordien nog even naar ons kwamen kijken, troffen ze haar op de slaapkamervloer aan. Mijn moeder wenste een verklaring. Waarom verkoos mijn zus de grond boven haar bed? De vraag werd vriendelijk gesteld, maar mijn zus weigerde een antwoord te geven. Mijn moeder drong aan, mijn zus zweeg. Ze had iets kunnen verzinnen – rugpijn, een matras die te zacht was – maar ze zweeg. Nu ging het om principes, om vertrouwen, openheid, waarheid. Mijn moeder richtte zich tot mij. Wist ik waarom mijn zus op de grond had geslapen? Nee. Had mijn zus in het verleden op de grond geslapen? Nee. Leugen na leugen verliet mijn mond. Nee, nee, ik wist van niets, ik had geslapen als een roos. De lucht was dik en troebel van leugen, mijn woorden hingen zwaar tussen mij en de vrouw van wie ik hartstochtelijk hield.

'Kijk me recht in de ogen.'
Ik keek haar recht in de ogen.
'Geef antwoord op mijn vraag. Waarom?'
En ik verried haar voor de zoveelste keer.
's Nachts in onze kamer durfden wij er niet over te

praten uit angst dat mijn moeder onze woorden zou opvangen. Ik stelde me voor dat mijn moeder haar oor tegen het plafond gedrukt hield, dat ze in de woonkamer op een laddertje stond. De muren hebben oren, de muren hebben ogen. Hoeveel wist mijn broer die sliep in de kamer naast de onze? Had hij gesproken? En wat was er te zeggen? Wat was er te verzwijgen? Maar we zwegen. Zelfs wanneer we samen op straat liepen op weg naar school of naar een winkel zwegen we. Zwijg als je wil dat anderen zwijgen. Praat je mond niet voorbij.

Op een nacht siste de stem van mijn zus in mijn oor. 'Sta op, je moet iets voor mij doen, je moet me helpen, vlug.' Ze wou weten wat er beneden werd gezegd. Ze moest het weten. Ze moest. En ik moest postvatten bij de deur, moest haar waarschuwen zodra er gevaar dreigde, moest. Ik kon niet anders dan mijn bed verlaten. Ze ging liggen, ik vatte post.

'Ik denk dat er bezoek is. Of de televisie staat op. Probeer jij eens.'

'Nee.'

'Je moet.'

Ik ging liggen, hoorde bloed in mijn slapen bonzen, verder niets.

'Hoor je iets?'

'Niets.'

Mijn zus ging weer liggen, ik hield de wacht.

'Ze doen het licht uit. Haast je.'

We doken ons bed in, hoorden stappen op de trap, doffe stemmen. Seconden later ging de deur open en boog mijn moeder zich over mij heen. Nu knipt ze het licht aan, dacht ik. Nu zegt ze: denk niet dat ik niet weet dat je wakker bent, dat ik niet voel wat jullie uitgespookt hebben. Mijn hart ging tekeer in mijn borstkas. Hoe kon mijn moeder het niet horen? Ik bad de

Heer me tot zich te roepen. Er gebeurde niets. Mijn moeder aaide me over de wang, gaf me een zoen, maakte plaats voor mijn vader van wie ik een kruisje kreeg.

'Ze slapen,' zei hij.

Ik was nog nooit zo eenzaam geweest.

De volgende dag nam ik een oud schoolschrift uit de kast, waarvan slechts enkele bladzijden gebruikt waren, schreef: *Dit is de waarheid*, en noteerde de gebeurtenissen van de voorbije weken. De waarheid nam nog geen twee kantjes in beslag. Zo eenvoudig is de waarheid. Daarna legde ik het schrift terug op zijn oude plaats. Ik sprak met niemand over dit schrift. Mijn moeder stelde ons nog eenmaal de vraag: waarom had mijn zus de harde koude grond boven haar warme bed verkozen? Ik loog opnieuw. Die avond sprak mijn moeder de straf uit: mijn zus moest de vloer van onze kamer boenen, ik ging vrijuit. Mijn zus zit op haar knieën en boent de tegels, één voor één. Ik help haar niet. Helpen zou gelijkstaan met schuld bekennen. Mijn zus fluit een liedje. Ik probeer mijn oren te sluiten. Daarna was alles weer bij het oude, maar het huis herbergde een geheim schrift. Mijn schrift.

's Nachts in het huis waarin ik samen met jou woon, noemen we het de oertijd – verhalen uit de oertijd.

'Was het bij jou thuis ook zo?'

'Natuurlijk,' zeg je en je toont me een foto van twee kinderen aan zee – ze dragen gebreide badpakken, de jongen heeft zijn arm over de schouder van het meisje geslagen, golven kabbelen rond hun voeten.

'Ja,' zeg ik en ik glimlach.

Wie breide in hemelsnaam die badpakken? Moeders? Grootmoeders? Buurvrouwen? Ik had een geel, mijn zus een groen, en mijn broer een bruin. Als hij dook bengelde zijn zwembroek om zijn enkels. Bij het model voor meisjes zat de halsuitsnijding halverwege navel en tepels. Bikini's kenden wij niet.

Ik heb altijd verondersteld dat mijn leven later precies zo zou zijn als dat van mijn ouders, dat ik zou wonen in een huis zoals het hunne, dat om kwart over zeven het gerinkel van de wekker door het huis zou scheuren. Kinderen in slaapkamers worden om halfacht gewekt en 's avonds weer toegedekt. Mijn man en ik buigen over warme lijfjes. Een zoen, een aai, een kruisje op een voorhoofd. In zekere zin verwacht ik nog altijd dat mijn leven die wending zal nemen.

'Het waren andere tijden,' zeg jij. 'Je kan niet vergelijken.'

Mijn ouders leerden elkaar kennen op de tram. Het was oorlog en ze hadden allebei honger. Mijn moeder droeg een witte bloes gemaakt uit de stof van een parachute; mijn vader had een oude legerjas aan. Ze dachten van elkaar dat de ander eten bij zich had. Zo raakten ze in gesprek. Het was mijn moeders tweede tramromance. De eerste keer had de man wel chocola op zak, maar hij bleek onbetrouwbaar. Hij had een snor en – zoals mijn moeder zou ontdekken – ook een vrouw en twee kinderen. Ooit kreeg ze van hem een paar zijden kousen.

'Dat kan jij je niet voorstellen,' zei ze, 'wat dat betekende in de oorlog.'

In die tijd ging mijn moeder vaak met haar fiets bij boeren stelen op het veld. Haar strooptochten leverden niet veel op – wat rapen of graan – maar ze is meer dan eens door een boer achtervolgd. Het is niet uitgesloten dat mijn moeder bij jouw grootouders is gaan stelen en door hen is weggejaagd, zoals het niet uitgesloten is dat wij in dezelfde badplaats op luttele meters van elkaar in ons gebreide badpak voor de camera hebben geposeerd. Misschien hebben we zelfs samen aan hetzelfde zandkasteel gebouwd.

'En misschien,' zeg jij, 'is mijn vader de mooiprater met de snor en de chocola.'

We glimlachen. De koelkast is gevuld, de supermarkt ligt op een steenworp hier vandaan, er staat geld op de bank.

Niet lang nadat mijn moeder mijn zus op de slaapkamervloer had aangetroffen, werd de zolder van het huis verbouwd. Een architect mat alles zorgvuldig op en verzekerde mijn ouders dat er ruimte was voor een logeerkamer en een slaapkamer. Toen het werk zijn beslag had gekregen, noteerde mijn moeder een getal onder de tien op een stuk papier en liet ons om beurten raden.

'Drie,' zei ik.

'Zeven,' zei mijn zus.

'Tien,' zei mijn broer.

'Zeven,' zei mijn moeder.

Mijn zus verhuisde naar de zolderverdieping en ik had een kamer voor mij alleen. Het schrift waarin ik de ware toedracht van het slaapkamergebeuren had genoteerd noemde ik nu mijn dagboek. Wanneer ik er 's avonds in schreef, stelde ik me voor dat mijn zus mijn pen kon horen krassen. Angstzweet stond in mijn handpalmen terwijl ik schreef. Soms barricadeerde ik de deur. Op een avond trok het geschuifel met meubels de aandacht van mijn moeder. Ze kwam gejaagd de trap op en vond de toegang tot mijn kamer versperd, maar ik had meteen een leugen klaar.

Ik zou, zo zei ik listig, het meubilair herschikken om de kamer echt van mij te maken.

De leugen bezwoer haar paniek.

'Ik was bang dat er iets aan de hand was,' zei ze.

Dat was alles, maar ze hijgde en haar ogen schoten onrustig van mijn tafel naar de deur. Een maand of wat later werd mijn kamer opnieuw behangen en herschikte ik het meubilair zo dat wie mijn kamer binnenkwam niet kon zien wat er op de schrijftafel lag. Mijn moeder hielp me stof uitzoeken voor gordijnen en een sprei. Van mijn zus kreeg ik een poster om de muren op te fleuren.

'Als het lente wordt,' zeg ik, 'wil ik opnieuw normaal leven. Ik wil de lucht zien en de bloemen en het gras.'
    'Ja natuurlijk,' zeg jij. 'Dat spreekt vanzelf.'

Nu de kinderen het huis uit zijn en mijn vader met pensioen is, wandelen mijn ouders ook tijdens de week. Als ik hen bel tref ik hen zelden thuis. 'Ze zijn altijd op stap,' zegt mijn broer. In de lente willen ze een voettocht maken naar Santiago de Compostela. De voorzitter van de wandelclub is er ooit met zijn vrouw geweest en wil het graag overdoen voor het te laat is.

Nadat mijn zus haar eigen kamer had gekregen veranderde er veel tussen ons. Ze praatte nu meer met mijn moeder dan met mij. Toen ze plannen had om te trouwen wist mijn moeder dat eerder dan ik. In mijn schrift noemde ik hen de twee vriendinnen. 'Na school de twee vriendinnen in tête-à-tête aangetroffen. Ze dronken koffie en aten gebak.' 'Vriendinnen de hele dag op stap geweest om huisraad voor jonge trouwers te kopen.' 'Eerste gesprekken over bruidsjurk! Wit of gebroken wit? Kuitlengte of enkellengte?' Ze hadden veel plezier samen. Het verhaal over de man met de snor werd herhaaldelijk opgerakeld. Het woord 'tram' of 'chocola' volstond om de vriendinnen aan het giechelen te brengen. De huwelijksvoorbereidselen slorpten bladzijden op in mijn dagboek. Voor de uitzet van mijn zus volledig was begon ik aan een tweede schrift. De ouders van de toekomstige schoonzoon kwamen op bezoek en tot mijn ontzetting werd van mij verwacht dat ik ook aan tafel kwam zitten. Mijn moeder vertelde anekdoten. Ik was overtuigd dat ze het over andere kinderen had. Ik overwoog om de waarheid over de slaapkamervloer uit de doeken te doen, maar zou mijn eigen aandeel in de feiten niet kunnen verzwijgen. De misdaad was trouwens verjaard. Het was niet uitgesloten dat deze oude geschiedenis de twee vriendinnen kostelijk zou amuseren. Op een avond klopte mijn zus op de deur van mijn kamer. Ze ging op de rand van mijn bed zitten en streek me over het haar. Ze vertelde me over het huis waar ze binnenkort als echtgenote zou wonen en over de jongen die haar man zou worden. Ze zei dat hij me een leuk kind vond, dat hij hoopte dat ik hen vaak zou opzoeken. Hij was ervan overtuigd dat we het goed zouden kunnen vinden met elkaar. Mijn zus was nogal sentimenteel. Ze had het over mij als haar 'kleine, lieve zus' en haalde herinneringen op. Ze sprak alsof ze heel ver weg ging wonen. Ze zei geen woord over de nacht toen ze mij aan verraad en leugen had overgeleverd.

Nauwelijks een week na de eerste huwelijksnacht van mijn zus vernam ik van mijn beste vriendin dat vrouwen ook konden masturberen. Ze wist het van haar vriend die haar op het hart had gedrukt te oefenen. Hij had gelezen dat dat nodig was wou hun sexleven kans op slagen hebben. Ze vertelde het me terwijl we naar huis fietsten. 'Vrouwen kunnen ook een orgasme hebben,' riep ze me tot slot toe en sloeg rechtsaf. Ik reed rechtdoor, naar mijn huis, naar mijn kamer; haar woorden fietsten met me mee. Ik begon te oefenen. Een handleiding was overbodig. Die zomer oefende ik drie keer per dag. Het bleek dat ik de mogelijkheden van mijn lichaam zwaar had onderschat. Mijn bewondering voor Gods schepping was groot.

Op een dag gebeurde iets onvoorziens. Of het aan mijn blaas lag die te vol was of aan de broeiige hitte weet ik niet, maar terwijl ik het orgasme had dat vrouwen dus ook konden hebben, voelde ik een warme gloed langs mijn dijen. Het was zo'n prettige gewaarwording dat ik niet ingreep. Ik liet de urine lopen en genoot van de warmte, de bevrijding. Ik bewoog niet. Pas toen de urine was afgekoeld begon ik me af te vragen wat ik moest doen. De lakens werden op vaste tijdstippen verschoond; mijn moeder wist precies hoeveel lakens er in de kast lagen en hoeveel bij de was; wat ik ook deed, het zou niet aan haar aandacht ontsnappen. Er zouden vragen moeten worden gesteld. Er zouden leugens moeten worden verteld. Zolang ik niet bewoog hoefde ik geen beslissing te nemen. Ik bewoog niet, viel in slaap, werd wakker en stond op zonder de lakens te inspecteren. In de badkamer waste ik mij. Er is nooit een woord gezegd over de met urine bevlekte lakens, niet door mij en ook niet door mijn moeder, zoals er ook nooit een woord werd gezegd over de zakdoeken die we aantroffen onder of naast het bed van mijn broer wanneer we zijn bed opmaakten, zoals ik jaren later niets zei over de zakdoeken die ik aantrof onder of naast het bed dat ik deelde met een man met wie ik niet meer wou vrijen. Ik leerde stilte en geheimen waarderen. Ik ontdekte er een ander woord voor: discretie. Je neemt de zakdoek bij een punt en draagt hem naar de wasmand. Waarom kunnen ze hem niet zelf naar de wasmand dragen? Waarom gebruiken ze geen Kleenex? Over sommige dingen kan beter niet gepraat worden. Je maakt ze alleen maar erger door erover te praten. Mijn moeder en ik leggen schone lakens op mijn bed. Mijn moeder trekt de deken weg, staat oog in oog met de urinevlekken, trekt ook de lakens weg, gooit ze in de gang bij de hoop die straks in de wasmachine wordt geduwd. Ik denk niets, helemaal niets. Ik zou niet weten wat ik kan of moet denken. Alleen dit: over een uurtje zijn de vlekken verdwenen. Als sneeuw voor de zon. Ook in mijn dagboek maakte ik er geen woord aan vuil. Zwijg en het is niet gebeurd. Geef het geen naam en het bestaat niet. Ik besloot dat het geen zin meer had een dagboek bij te houden.

En ook aan jou over wie ik zeg dat ik alles bij je kwijt kan vertel ik het niet. Er moeten grenzen zijn. (Hij vertelt voor de zoveelste keer het verhaal van het litteken dat over zijn voorhoofd loopt en zijn rechter wenkbrauw in tweeën splijt. Bij hen thuis was er een steile stenen trap die de kelder met de tuin verbond. De trap was afgesloten met een hek dat vergrendeld kon worden. Zijn moeder zei wel tien keer per dag: 'Kinderen, denk erom, hek toe.' het gebod was er om overtreden te worden. Op een dag toen zijn moeder het huis uit was zette hij het hek wagenwijd open, duwde zijn fiets tot achter in de tuin, begon te fietsen, sneller en sneller, reed door het hek, donderde van zijn fiets. Zijn moeder vond hem buiten bewustzijn onder aan de trap. Bloed gutste uit zijn voorhoofd, ze dacht dat hij dood was, maakte zo'n misbaar dat hij bijkwam.

'Kreeg je straf?'

'Nee. Ik lag immers te bloeden. En het was de schuld van het hek en van de architect die de trap ontworpen had. Niet van mij.' We lachen. Het litteken zigzagt over zijn voorhoofd. Het geeft hem iets sinisters. Hij ziet zijn familie niet vaak meer. 'Wat hebben we elkaar nog te zeggen?' zegt hij.)

Het wordt lente en we nemen ons voor weer overdag te gaan leven.

'Zoals normale mensen.'

We gunnen onszelf een week om over te schakelen, om weer aan de oude tijdschema's gewend te raken.

'Morgen beginnen we.'

'Ja. Morgen beginnen we.'

Iedere dag zeggen we het: 'Morgen beginnen we.' Maar we zijn het daglicht ontwend.

En dan op een nacht staat mijn vader in de woonkamer naast de tafel waaraan we werken. Hij draagt een rugzakje, lange wollen kousen, een kniebroek, stevige wandelschoenen. We staren hem aan alsof hij uit de doden is opgestaan.

'Ik was in de buurt,' zegt hij. 'Ga rustig door, stoor je niet aan mij.'

Ik heb zin om in zijn wang te knijpen, om me ervan te overtuigen dat hij echt is. Dan knijp ik in mijn eigen wang. Overtuig mezelf dat ik niet droom.

'De deur stond open,' zegt hij. 'Ik kon zomaar naar binnen wandelen. Heb je een biertje voor je oude heer? Ik ben al uren onderweg. Buiten is het heerlijk zacht.'

Jij staat op, gaat in de keuken een biertje halen. Ik hoor kasten en laden.

'Je moeder past op het huis,' zegt hij. 'Je zus is ziek en haar kinderen logeren bij ons. Schatten van kinderen heeft ze.' Het is of we allebei onze tong verloren hebben. Meer dan knikken doen we niet.

'Werken jullie altijd bij zulk gedempt licht? Op die manier maak je je ogen kapot.'

Ik sta op, ga een leeslamp halen, steek die aan.

'Hebben jullie een schaar voor me?'
Ik haal een schaar, geef die aan hem.
'Doe gewoon. Let niet op mij.'
Maar we blijven staren, kijken naar hem of we hem nooit eerder hebben gezien. Hij schenkt een glas vol, neemt er kleine teugjes van, laat zijn tong tegen zijn verhemelte smakken. Dan bukt hij zich, rommelt in zijn rugzak, haalt een schrift te voorschijn dat ik meteen herken, legt het op tafel. Hij scheurt er een blad uit, vouwt het, zet er de schaar in. Snippers vallen op de tafel, het papier glijdt heen en weer tussen zijn vingers. Hij legt de schaar neer, vouwt het blad open, houdt het tegen het licht. 'Een bos,' zegt hij. 'Heb je nog een schaar?'

Ik sta op, haal een schaar, reik hem die aan, maar hij zegt: 'Neen, die is voor jou.'

Hij bukt zich opnieuw, rommelt in zijn rugzak, legt mijn tweede schrift op tafel.

'Neem een blad.'

Ik scheur een blad uit het schrift. Hij scheurt een blad uit het andere schrift.

'Goed kijken. Doe me na.'

Hij vouwt zijn blad, ik vouw mijn blad. Hij neemt zijn schaar, ik neem mijn schaar.

'Volg mijn bewegingen. Niet aarzelen, maar ook niet te bruusk.'

Ik zet mijn schaar in het papier, ik knip als hij knipt. Mijn ogen en vingers volgen zijn schaar. Knip. Knip. Knip.

'Als je nog een schaar hebt kan die man van je ook aan het werk.' Ik sta op, haal nog een schaar, scheur een blad uit het schrift, geef het aan jou.

'Daar gaan we. Doe precies zoals ik.'

Knip. Knip. Knip. Vogels in een kooi.

Knip. Knip. Knip. Huizen in een straat.

Knip. Knip. Knip. Een bos.
We scheuren en vouwen en knippen.
We knippen en knippen.
We knippen een wereld bij elkaar.

Kristien Hemmerechts
Een zuil van zout

'Prachtig, tragisch en positief ineen.'
Opzij

Rainbow Pocketboek 102

* * *

Judith Herzberg
Doen en laten
Een keuze uit de gedichten

Meer dan 200 pagina's met de mooiste gedichten
van Judith Herzberg.

Rainbow Pocketboek 172

* * *

Elisabeth Marain
Rosalie Niemand

Het aangrijpende verhaal van een vrouw die
veertig jaar ten onrechte zat opgesloten in een
psychiatrische inrichting.

Rainbow Pocketboek 123

* * *

Helen Zahavi
Dirty Weekend

Een vrouw laat zich niet langer intimideren door haar
mannelijke belagers.

Rainbow Pocketboeken 179

* * *

A.S. Byatt
Obsessie
Een romance

Liefdesroman, historisch epos en literaire detective ineen.
Bekroond met de Booker Prize.

Rainbow Pocketboek 175

* * *

Martha Gellhorn
Reizen met mijzelf en anderen

Avontuurlijke reizen door meer dan drieënvijftig
landen.

Rainbow Pocketboek 187

* * *

Laura Esquivel
Rode rozen en tortilla's

Een gepassioneerd liefdesverhaal en een unieke
culinaire roman ineen.

Rainbow Pocketboek 154

* * *

Dubravka Ugrešić
Steffie Steek in de klauwen van het leven

Speels en ironisch verhaal over een zoektocht naar
'de ware Jacob'.

Rainbow Pocketboek 174

* * *

Agota Kristof
Het dikke schrift

Bekroond met de Prix Européen; in meer dan
zeventien landen in vertaling.

Rainbow Pocketboek 121

* * *

Maryse Condé
Ségou
I De aarden wallen
II De verkruimelde aarde

Het magistrale boek over het verval van een oud Afrikaans
rijk, in twee delen.

Rainbow Pocketboek 85 en 86

***

Maryse Condé
Tituba

De meeslepende roman van de schrijfster van *Ségou*.

Rainbow Pocketboek 118

***

Maryse Condé
Tocht door de mangrove

'Alsof je een zoete tropische vrucht eet, zo zul je je
tegoed doen aan deze roman.' *Cosmopolitan*

Rainbow Pocketboek 183

***

Elisabeth Barillé
Lijfelijkheid

Openhartige bekentenissen over boeiende thema's

Rainbow Pocketboek 113

* * *

Elisabeth Barillé
De kleur van woede

'Een erotische, zelfbewuste en bespiegelende roman
van de schrijfster van Lijfelijkheid.'
Joost Zwagerman in *Vrij Nederland.*

Rainbow Pocketboek 147

* * *

Elisabeth Barillé
Anaïs Nin

Gemaskerd, ontmaskerd

Een fascinerende en onthullende biografie door de
schrijfster van *Lijfelijkheid* en *De kleur van woede.*

Rainbow Pocketboek 157

* * *

Julia Voznesenskaja
Vrouwendecamerone

Een fascinerend beeld van de Russische samenleving, gezien door de ogen van vrouwen.

Rainbow Pocketboek 77

***

Jenny Diski
Onnatuurlijk

Controversiële debuutroman over seks, macht en dilemma's.

Rainbow Pocketboek 112

***

Marlen Haushofer
De wand

'Om ademloos te lezen en nooit weer te vergeten.' *Humo*

Rainbow Pocketboek 119

***

Ian McEwan
De cementen tuin

Vier kinderen houden de dood van hun moeder
verborgen voor de buitenwereld.

Rainbow Pocketboek 137

* * *

Alberto Moravia
De voyeur

Indringende roman over liefde en macht.

Rainbow Pocketboek 142

* * *

Luigi Pirandello
Kaos
Verhalen

Melancholieke verhalen over armoede, eenzaamheid,
liefde en waanzin. Verfilmd.

Rainbow Pocketboek 185

* * *

John Cleese en Robin Skynner
Hoe overleef ik mijn familie

Gesprekken over huwelijk en gezinsleven, liefde, seks,
relaties en kinderen.

Rainbow Pocketboeken 181

* * *

Anil Ramdas
De strijd van de dansers
Biografische vertellingen

Zeven mensen aan het woord over hun leven op Curaçao
en de machtsverhouding tussen mannen en vrouwen.

Rainbow Pocketboek 186

* * *

Marguerite Yourcenar
Met open ogen

Een fascinerende schrijfster vertelt over haar leven,
over vrijheid, eenzaamheid, passie, liefde, religie
en dood.

Rainbow Pocketboek 103

* * *

Rainbow Pocketboeken:

Frits Abrahams – *Uiteindelijk helpt niets*
Duygu Asena – *De vrouw heeft geen naam*
Ingeborg Bachmann – *Het dertigste jaar*
Elisabeth Badinter – *De mythe van de moederliefde*
Elisabeth Barillé – *Anaïs Nin*
Elisabeth Barillé – *De kleur van woede*
Elisabeth Barillé – *Lijfelijkheid*
Georges Bataille – *Het oog / De dode*
Wim de Bie – *Morgen zal ik mijn mannetje staan*
J.M.A. Biesheuvel – *De wereld moet beter worden*
Marion Bloem – *Geen gewoon Indisch meisje*
Victor Bockris – *Andy Warhol*
Victor Bockris – *Keith Richards*
A.S. Byatt – *Obsessie*
Marie Cardinal – *Het moet eruit!*
Bruce Chatwin – *In Patagonië*
John Cleese en Robin Skynner – *Hoe overleef ik mijn familie*
Maryse Condé – *Ségou I: De aarden wallen*
Maryse Condé – *Ségou II: De verkruimelde aarde*
Maryse Condé – *Tituba*
Maryse Condé – *Tocht door de mangrove*
Jenny Diski – *Onnatuurlijk*
Florinda Donner – *Shabono*
Roddy Doyle – *The Commitments*
Isabelle Eberhardt – *Brieven, dagboeken en verhalen*
Buchi Emecheta – *Als een tweederangs burger*
Buchi Emecheta – *De prijs van de bruid*
Buchi Emecheta – *De slavin*
Laura Esquivel – *Rode rozen en tortilla's*
Gustave Flaubert – *Reis door de Oriënt*
John Fowles – *Het liefje van de Franse luitenant*
Jean-Paul Franssens – *Een gouden kind*
Nancy Friday – *Mijn moeder en ik*
Bella Fromm – *Bloed en banketten*
Martha Gellhorn – *Reizen met mijzelf en anderen*
David Gilmore – *De man als mythe*
Paola Giovetti – *Engelen*
Françoise Giroud – *Alma Mahler*
Nadine Gordimer – *De bourgeoiswereld van vroeger*
Martha Graham – *Een leven in dans*
Marlen Haushofer – *De wand*
Kristien Hemmerechts – *Zegt zij, zegt hij*
Kristien Hemmerechts – *Een zuil van zout*
Judith Herzberg – *Doen en laten*

Gerard Reve – *Oud En Eenzaam*
Gerard Reve – *De Stille Vriend*
Gerard Reve – *De Taal Der Liefde*
Gerard Reve – *De Vierde Man*
Gerard Reve – *Wolf*
Hetty Rombouts – *Echt verliefd*
Lillian B. Rubin – *Het erotisch slagveld*
Nawal El Saadawi – *De gesluierde Eva*
Nawal El Saadawi – *God stierf bij de Nijl*
Nawal El Saadawi – *De val van de imam*
Nawal El Saadawi – *Vrouwengevangenis*
May Sarton – *Terugblik*
Jean-Paul Sartre – *Over het existentialisme*
Tom Sharpe – *Hard gelach*
Tom Sharpe – *Wilt*
Simone Signoret – *Nostalgie is ook niet meer wat het was*
Isaac B. Singer – *Yentl*
Agnes Sommer – *Houden van Afrikanen*
Karin Spaink – *Het strafbare lichaam*
Arianna Stassinopoulos – *Maria Callas*
Arianna Stassinopoulos – *Picasso*
Peter van Straaten – *Agnes*
Peter van Straaten – *Agnes moet verder*
Harry Stroeken – *Van dochter tot vrouw*
Dubravka Ugrešić – *Het leven is een sprookje*
Dubravka Ugrešić – *Steffie Steek in de klauwen van het leven*
Robert Vernooy – *De dingen die er niet toe doen*
Robert Vernooy – *De tedere tirannie*
Julia Voznesenskaja – *Vrouwendecamerone*
Piet Vroon – *Allemaal psychisch*
Piet Vroon – *Kopzorgen*
Alice Walker – *Het geheim van vreugde*
Alice Walker – *De kleur paars*
Alice Walker – *De tempel van mijn gezel*
Harry van Wijnen – *De Prins-Gemaal*
Leon de Winter – *De (ver)wording van de jongere Dürer*
Leon de Winter – *Zoeken naar Eileen*
K.G. van Wolferen – *Japan*
Marguerite Yourcenar – *Met open ogen*
Helen Zahavi – *Dirty Weekend*